目錄

133 第六章 沒有可衡量感情的秤，我們都沒法計算清楚誰比誰愛誰

159 第七章 愛一個人，總有單純的妒忌

183 第八章 愈想證明，愈害怕證明我不是個很值得愛的人

205 第九章 但願妳不要責怪那個，值得我犧牲更多的妳

233 第十章 我找到了，永遠跟妳在一起的方法

第一章

假如我死了，會得到怎樣的評價？

假如我死了，
會得到怎樣的評價呢？
我一直幻想自己躺在棺木裡，
靜靜聆聽所有我認識的人的發言。
但我又不禁想，
萬一我對他們結論似的批判不表認同，
我也沒有反對機會吧？
因此，我寧願自己真的死去，
對這世界的一切置若罔聞……

在潔白莊嚴的教堂內，一名身穿黑色西裝、身形高挑的少年緩緩步至台上，神情嚴肅。他站在米高峰前，看著橫放在禮台中央的棺木，殘忍地確認裡面正躺著自己的好友，眉宇間隱隱透出一份傷感。他仰起臉孔，把視線轉向出席喪禮、坐滿整個教堂的眾人，開始他的悼辭。

「我相信，對在座各位來說，今天是這世上最悲哀的一天。因為，有一個好友即將永遠離開我們。」

「在今日之前，我總愛跟這位好朋友開玩笑，約定了要是誰先死，剩下的一個便要為對方在喪禮上說悼辭。本來只是一番戲言，想不到卻一語成讖。今日，我要肩負起這個艱巨任務。雖然，生老病死實在是人生中無可避免、又不可或缺的事，但誰也沒料到事情會發生得如此快……即使到了現在這一刻，我腦海中仍是一片空白，難以相信這是事實……」

少年的聲音一頓，深呼吸一下，努力說下去：「如今想來，我對他最深

刻的印象，就是他抽平生第一根香煙的模樣。那時候，他遇上一件糟透的事，心情極之惡劣。對於我們男孩子，悲傷的時候就會想到抽煙，就是如此簡單罷了。於是，他走進便利店，打算買一包香煙，但對抽煙這回事完全陌生的他，居然不懂向店員形容他想要哪款香煙，於是，我就替他選了。我倆坐在馬路旁的欄杆上，雙腳懸垂，彼此肩並肩，無語地抽著煙。不知怎的，看著他深深吸進，再重重噴出一縷煙霧，我彷彿接收到他心裡的難過，也被他感染得滿傷感的。但同時，我亦相信，他總會感受到一種共同進退的安慰吧。」

「我一直記著這件事，就是因為，那真是我倆最接近的一刻——超越了一切人類言語的接近。」

就在這時候，少年默默望向那副打開了的棺木，看到即將永遠沉睡在黃土下的仰光。

他咬咬牙，從西裝內袋裡取出一包醇薄荷萬寶路，抽出一根，也不理會此

舉惹起台下一陣不安的騷動，便熟練地燃起香煙。他深深吸一口，彷彿要把所有致癌毒素擴散到全身每個部位，然後，他噴出煙霧，精神好像得到極大舒緩。

「如果有人問我，對於活了短短十七年的詹仰光，有甚麼想留給他的說話？我最後想說的是：但願他能夠在另一個容得下他的未知世界裡，尋找到真正快樂的生活。那是因為，縱使這世界再大，一個人所需要的氧氣是那麼的少，但總會有人無處容身，也感到呼吸不了。」少年慢慢步下講台，走到靈柩前，把那包香煙和打火機輕輕放進去，凝視著緊閉雙眼的仰光，輕輕說：「一個背負太多的人，最大的解脫，不是放下，是消失。」

說完這話，他便步下禮台，沿著教堂中間的通道離開。通道兩旁都是詹仰光的親友，包括他父親、弟弟詹慎曦、旺財、Janice、熙、諸葛囧、高顴骨、雄霸和Angel等人。他走到教堂出口的一端，用力推門出去，外面正下著瀑布似的大雨，他把抽了不到一半的煙蒂擲在地上，也不理將會全身濕透，徐徐走出雨

幕下。

當走了一段路，一個纖瘦的身影擋在他面前。雨勢太大，讓他看不清楚，直至他走到那人跟前，才看清她是沒有出席葬禮的金希。她全身濕漉漉，好像剛從水裡爬上來。她紅著雙眼問：「霍品超，詹仰光在裡面嗎？」

霍品超冷冷地說：「妳為何不親自進去看看？」

「假如我在教堂內，即表示我已原諒了他。」

「即使他已經是個死人，妳也不肯原諒他？」

「就算他死了，我還是會再殺死他一次。」

「難道妳看不出，仰光是為了妳才變成壞人？」

「除非他親口向我說明這一切。」金希詭異地一笑，「可是，恐怕死人並沒這個能耐吧。」

每一次，這個噩夢總是在這一刻結束。

仰光驚醒過來，滿額渾身都被冷汗沾濕，他呆看著天花板，過了半分鐘才認清身處的是熟悉的睡房，解除了自己是不是躺在棺材的疑慮。

他並不知道，夢見自己死掉，到底是怎樣的一種預言。然而，不管會否夢境成真，讓他最難過的，絕非是自己的去世。教他嚇得冷汗直冒的，反而是夢見不肯出席葬禮的金希。

他滿以為，隨著他的死亡，兩人之間的怨恨便能化解。可是，他的悲哀在於，他發覺即使他明天真的死掉，他和金希最終還是不會像一對深愛過的戀人，當一切恨意洗擦過後，總會剩下一點點所謂愛的憐惜。

仰光終於弄清楚，最痛苦的不是死亡，而是連死後的安寧也沒有。

一直以來，金希滿喜歡不用上課的日子，但自從弟弟日昇死後，她最不習

慣的，就是一連兩天的周末假期。

只因她留在家中的時間多了，在兩姊弟曾經共處的一室裡，金希總是不期然地回憶，徒添百般傷悲。

終於，在一個陰雲密佈的周末中午，金希決定了一件事，就是把弟弟遺留下來的一切，拋出這個家門外。只因她想通了，死者已矣，她卻必須繼續活下去。在充滿日昇的氛圍下，她自知不可能活得好，甚至會逐漸失去掙扎求存的力量。

日昇是個生活極有規律的人，他放在家裡的東西也是有條不紊，金希執拾時一點也不覺困難。她把日昇所有衣物放進一個紅白藍大膠袋內，雜物放另一袋，又把日昇的床褥翻起來，垂直靠在牆邊。整理好後，她撥了一個電話，很快便有專門回收棄置雜物的人員上門。他們會把收集得來的物品捐給各大慈善機構，她也沒心情詳細查問用途。最後，她把日昇的課本和練習簿集齊，放在

他那殘舊的書包內，但還未想到該如何處理。

金希把家裡足以讓她憶起日昇的東西全都收起來。當她只用了不足三個小時便完成這個滿以為非常艱巨的任務時，她感到有點輕鬆，又有點悲哀。畢竟，共同生活了十多年的弟弟，關於他的所有東西加起來，竟只是兩個紅白藍袋子和一個書包而已。

就在這時候，本來陰沉的天色開始放晴，陽光照射在空蕩蕩的客廳。金希把臉迎向窗前溫暖的陽光微笑，當風柔和地吹拂她臉龐，她突然幻想，會不會是日昇回來了？她希望日昇支持她這個決定，她這樣做，只是盡了全力，要為弟弟而好好活下去。

當她滿以為整件事已告一段落，回頭偶爾瞄了案頭一眼，發現自己遺漏了甚麼——還剩下這一台與弟弟共用的電腦。

她開啟電腦，畫面出現兩個登入名稱：「希」和「昇」。這是為了方便二

人分開使用電腦，不致把彼此的功課、檔案或照片等混淆。

金希首次把滑鼠拉到「昇」上，以他的帳戶登入。當她檢視日昇的電腦，卻發現裡面甚麼都沒有，桌面一片空白，在「我的圖片」、「我的文件」和「我的音樂」等文件夾內，也是空空如也。這使金希感到錯愕不已，她也不太笨，試試在「資源回收筒」尋找，發覺也是空無一物。

金希原本打算清除無關重要的東西，只保留一些富紀念價值的照片，但如今，她只能怔怔凝視著電腦屏幕。她想到弟弟似是故意清除一切，不讓她有看到的機會，突然之間，冒起一種心有不甘的情緒，想將一切還原。

終於，她抵受不了心裡的狐疑，把沉重的電腦主機拿到附近的電腦商場，請店員修理一下，希望能把所有關於「昇」的資料修復。店員當然樂意接下這項工作，只是強調不能保證百分之百成功。

走出商場，金希感覺自己餓得有點頭昏眼花，才想起原來自己只顧埋頭清

理弟弟的遺物，老半天也沒吃過東西，甚至連水也沒喝一滴。她不由自主，又走到熟悉的維記咖啡粉麵，坐下來，要了一碗最愛的豬膶牛肉麵。當她狼吞虎嚥地吃著時，抬眼一看，發現一個熟悉的身影正坐在前面的大圓桌旁，還有那一頭紅髮！剎那間，她感到全身所有血液直衝往腦袋。但當那少年側過臉，她才發現那人並不是詹仰光。

全身繃緊得像一頭受驚箭豬的她，這才放鬆下來，但是，與此同時，一陣沉重的悲哀又猛然撞擊她。她知道，除非她失憶，否則，她永遠無法忘記自己和仰光在這裡相遇的情況。那時候，仰光傷了他弟弟慎曦，無路可逃之下，跌跌撞撞地來到此店，身上還要連吃一碗麵的錢也不夠。金希剛好來吃東西，便替他付了賬，更勉勵他要鼓起勇氣面對，即使因此而坐牢也不要緊。她記得自己溫柔地告訴他：「走到哪裡都不要緊，重要的是，無論你何時回來，等你的人一直都在。」仰光問：「無論何時回來？」她堅定地回答：「是的，無論何

時回來。」……如今想來，她是那麼的喜歡他，一切也歷歷在目，恍如在前一秒才發生。

她真想忘記，詹仰光是她人生中第一個喜歡的男孩。可惜，她偏偏沒法忘記，這個人同時是毀了她弟弟、與她有深仇大恨的人。

一個月前，聖本心書院發生銀行劫匪闖入挾持人質事件，但即使是海嘯、地震、恐怖襲擊等世界大事，也總有被遺忘的一天。這宗慘劇，除了成為聖本心學生們偶然向朋友炫耀一下的「趣事」外，也就慢慢被淡忘了。學校已回復往日的平靜，每個學生也過著同一樣無聊的band 3校園生活。

自那事件後，霍品超不在了，諸葛囧反而「發憤圖強」，扛起黨派大哥的責任，整個人添上一種威嚴，再加上他本身有如灰熊般健碩的身形，自然教人又敬又畏。

身材生得矮小的雄霸，還是喜歡到處恃勢凌人。這陣子沉迷攝影的他，難得地將「欺凌」和「攝影」融合並加以發揮，寓打人於娛樂。當他欺負同學時，總不忘用手機拍下整個過程，再把作品經後期剪輯加工，上傳到互聯網，跟全世界網民分享。雄霸的欺凌影片在Youtube有極高的點擊率，他亦因而得到極大滿足感。他更曾向眾人表示，自己的志願是成為一名成功的導演。

至於Angel，她正陷入一段熱戀中，剛開始跟同校一個傻頭傻腦的男生拍拖。也許因為得到愛情滋潤，她的性格由冷漠傲慢變成溫和良善，臉上總帶著一種擁有愛情的光榮。然而，大概戀愛真會完全改變一個人，她在交易毒品時顯得畏首畏尾。幹這種事總是愈畏縮愈容易露馬腳，因此，諸葛囧只得儘量減少她的任務，以防萬一出了亂子，就會得不償失。

這一個月以來，仰光一直「寄居」在諸葛囧、雄霸、高顴骨和Angel一黨之中。雖然這絕非他的意願，但他卻不得不依靠著他們，只因他不認為自己能夠

回到金希身邊，他已經是個無主孤魂，也就只好像隻鬼一般，隨便找個軀殼來依附，藉此逃避下去。

縱然每天身處同一間課室，仰光和金希已無言以對。如果還有甚麼可教他慶幸的，仰光應該慶幸自己及時被調離金希的鄰座。他正跟高大的虎彪同坐在課室靠窗的右邊，而金希則坐在近門口的左邊，兩人並排而坐，中間相隔幾個同學，減少了很多對視和對峙的機會。仰光自覺躺在一個戰壕裡，外面正是子彈橫飛，他進退兩難，只能在暫時的平靜中稍作喘息。

這天午膳時間，仰光、諸葛囧、雄霸、高顴骨和Angel一同出外吃午飯，Angel想吃薄餅，大家便到了學校附近的意粉屋。眼見門前正有很多不同學校的學生在排隊，Angel說改去其他地方算了，倒是雄霸不順：「我也想吃薄餅！」

他大搖大擺走進店內，瞧見一枱六個穿聖本心校服的學生正翻著餐牌，便走到他們面前，用力一拍桌面，問：「你們看過警匪電影沒有？」

那可憐的四男兩女，當然不會不知雄霸的底細，他們嚇得臉色青白，小男生舉起顫抖的手，用微弱的聲音說：「我看過。」

雄霸雙手叉著腰問：「警察若要辦案，有需要時就會徵用市民的車子。這時候，好市民該怎樣做？」

六個「好市民」幾乎同時合上餐牌，極速逃離餐廳，把桌子留下給「警察」雄霸。

等候薄餅期間，雄霸用手機上網，登入Youtube，向各人展示他的最新作品「校園恐怖欺凌第十四集——人肉雪橇」。那是雄霸上星期毒打一名初中生的實況，以第一身主觀鏡頭拍攝，拍攝者全程沒有現身。從手機拍到的畫面上，只見那名男生被綁起手腳，給拍攝者在一條走廊上來回拖行。可憐的男生不斷撞向牆壁和欄杆，發出殺豬似的慘叫。

雄霸指著影片下方的觀看者評語，興奮地說：「大家看看！你們看看這幾

個留言，有些是美國人，有一個甚至住在俄羅斯！」

幾個人輪流傳閱過後，Angel冷嘲熱諷：「但他們的評語都是叫你go to hell啊！」

「你們還不明白嗎？這是由於他們有共鳴啊！」雄霸握緊拳頭說：「原來，唯一可以打破種族障礙的，就是震撼人心的畫面！它們簡直超越了人類語言的界限！影像的力量，實在是無遠弗屆啊！」

這時候，諸葛囧開口了，他提醒著說：「雄霸，如果這些片段落到警方手中，恐怕會惹麻煩吧！」

「不用怕，我們的霍校長不是也看過嗎？他請了我的『校園恐怖欺凌系列』主角們到校長室問話，但誰也否認被揍，統一口徑，說只是鬧著玩，根本沒人給欺負啊！」雄霸滿有自信，「放心，霍校長會替我擋駕！」

諸葛囧跟仰光對視一眼，板起臉說：「我不認為是這樣，你這樣玩，隨時

會令聖本心書院受到各方面注目，間接影響我們的生意。假如水壩追究下來，恐怕你要親自向他解釋。」

雄霸一聽到老大水壩的大名，得意洋洋的臉色馬上沉下來，沒趣地說：「知道了，我會小心。」

仰光一直想知道水壩的事，他用不經意的語氣問了句：「對啊，你們也見過水壩嗎？」

此話一出，眾人面面相覷，沒一個搭腔。過了片刻，諸葛囧代表回答：「我們誰也沒有跟水壩真正見過面，每次有交易，水壩都是透過助手轉達。」

仰光笑問：「難道大家也對水壩沒興趣？」

坐在仰光對面的高顴骨冷笑著說：「怎樣了？你這麼想知道水壩的事，有甚麼目的？」

仰光呆了一下，笑容立時僵住。

諸葛囧看著一下子無言以對的仰光，連忙替他打圓場：「坦白說，莫說仰光，連我也對水壩充滿興趣。我們替這位老大工作已久，卻對他的事一無所知，他本身就像一個神秘的傳說。」

忙著用手機打短訊的Angel，這時也插上一句：「我也一樣。我一直懷疑根本沒有水壩這個人，或許只是組織虛構出來唬人的伎倆？」

高顴骨說：「不用怕，要是誰出了岔子，恐怕便隨時有機會見到水壩——第一次，也是最後一次。」他說這話的同時，視線一直斜睨著仰光。

仰光垂下雙眼，拿起桌上的冰水喝了一口，迴避高顴骨的眼神。他感到高顴骨的話活像一枝突放的冷箭，稍有差池，就會被一箭穿心。

Angel的手機發出接收訊息的聲響，她拿起一看，露出甜絲絲的笑容。坐在她身邊的雄霸偷看了短訊，露出噁心的表情，「哎喲，誰那麼肉麻，傳了個『我也想妳』給妳啊？又是妳那個乖男友嗎？哈哈哈，他也想妳怎樣啊？」

笑。

「愛情的事，你懂個屁？互傳短訊，就是熱戀的情趣！」Angel落落大方地

雄霸不明所以的問她：「吃個一小時的午餐，能夠有多想念啊？」

Angel充滿詩意地回答：「滿滿六十分鐘的想念囉！」

雄霸大笑，「那麼，他在小便時想念妳，是不是『最後三滴的想念』？」

「你真不懂愛情！」Angel一肘撞向雄霸。

雄霸抱著肚子喊痛，咆哮著說：「妳以為我不敢揍女人？」

「我就知道你敢，即管來揍我！」

Angel向雄霸示威地挺起胸膛，校服下透著驕人的身材，雄霸吞了一口口水，根本不敢輕舉妄動。這時，侍應送上薄餅，正好給他下台階。他擦擦雙手說：「我才不跟女孩子計較，我忙著吃薄餅！」

眾人吃得捧著肚子離開，返回學校途中，Angel拉著仰光，故意走在眾人之後，趁諸葛囧、雄霸和高顴骨等人聽不見的情況下，神秘地問：「你是男孩子，快告訴我，男朋友最喜歡怎樣的女友？」

仰光面對這個突如其來的問題，一下子不知該如何回答。他向前面三人抬了抬下巴，「他們也是男孩子，妳不問他們？」

「他們都是孔武有力、但不解溫柔的電車宅男啊！」Angel說：「你有拍拖經驗，意見比較中用。」

仰光苦笑一下，他差點想告訴Angel，其實諸葛囧也有情人啊。據他所知，他的同性戀人甚至就在學校內，但周遭的人卻對此事一無所知，可見他掩飾得十分好。

「喂，說來聽聽啊。」Angel有點羞愧地說：「我第一次認真拍拖，只怕自己做不到他眼中的好女友。」

仰光又想了一會，才老實回答：「如果我是某個女孩的男朋友，我唯一希望的，就是她能夠做回我最初認識時的她吧！」

Angel皺了皺一雙幼月眉，彷彿聽不明白。

仰光解釋：「那是因為，要是他當初喜歡上妳，他最喜歡的就是妳那個形象，萬一妳改變了，他對妳的情感也會隨之扭曲。妳以為是妳為他轉變，最後，卻反而是他還就著瞬息萬變的妳。」

「但他喜歡上我的時候，直至這一刻，我也是個壞人。」Angel神情矛盾，「我滿以為，我應該為他作出改變，變回一個好人……做他心目中的好女孩。」

「要是他喜歡妳的話，妳維持原狀就好了，不必有任何改變，也千萬別因他而變。」仰光滿心想的也是金希，他苦澀地說：「那是因為，這只能夠解釋，他喜歡壞人，又或者，他本身就有做壞人的潛質。」

「你的意思是，我已經教壞了他？」

「不，沒有人會被誰教壞，他只是靜待著一個時機，釋放真正的自己而已。」仰光說：「所謂物以類聚，他遲早會被同類吸引。反之亦然，非我族類者，他會抗拒地避開。」

「所以，你的意思是，我甚麼也不必做？」她有點困惑。

「我的想法是，感情無法刻意經營，一切順其自然就好。」

「嗯，原來是這樣。」Angel搖搖頭說：「我可能想得太多了，愈想愈覺得羞愧，怕自己配不起對方。」

仰光笑了，他當然見過那個跟Angel同班的小男友，只覺得他的性格陰柔得不像男孩子，對比冷酷有型的Angel，他實在不明白兩人為何會接得上軌，但感情就是如此不可理喻。不單如此，Angel還執意想為他改變自己，可見Angel實在很喜歡他。

Angel突然問：「對了，你和金希怎樣了？」

仰光乾笑一下，他心裡有千言萬語，但亦可用一句總結：「我們之間沒甚麼了。」

「雖然，我不知道你們之間發生何事，也不想知道。」Angel瞅著他：「但是，我可以用跟金希同性的身分提醒你一句：對於愛情，千萬別低估女孩子的能耐！」

仰光聽到她的話，整個人呆了。他好像曾在哪兒聽過這句話，細心一想，記起是一個當「時租女友」的女孩說過：「你太看輕女人了。深愛你的女孩，會為你承擔無上限的傷害」。如今回想，兩人的話竟有相同意思。

真的嗎？女孩子到底可以為愛情背負多重？

假如，在愛情的大前提下，加上一則副題「——喪弟之痛」，那又會怎樣？

他的心冰冷下來，僅餘一點的微弱希望也慢慢消失了。

承擔無上限的傷害——
這句話本身就有著叫人承受不了的重量。
難道愛一個人，
就必須擔演傷害和被傷害的某一方嗎？
這世上到底有沒有輕柔的、
恍如在太空漫步般的無重愛情呢？
只因，我深信愛一個人，
你就有消除對方在世間被屢次傷害的職責，
尤其當你真正
深愛
一個人……

第二章

我本身的存在，已經是個災難

每次幹完壞事，
不禁在心裡嘆息一句：
我本身的存在，已經是個災難！
可是，彷彿只有藉著一次接一次的摧毀，
才能證實自己真正地存在。
原來，打從一開始，
我已是個在災場內求救無門的受害者……

經歷銀行劫匪闖入學校事件，至今剛好一個月，每天雖身處同一個課室，仰光和金希卻彷彿進行冷戰，兩人皆沉著不動，彼此保持一段互不侵犯的距離。

表面上相安無事，但這天，班上卻發生了一件教人傷感的意外。

一向孔武有力的虎彪，自午飯後回來，整個人便顯得渾身發軟、迷迷糊糊。金希一眼便斷定他服食了過量毒品。「吸毒」這回事，在這種band 3學校，就像吸煙一樣稀鬆平常，即使沒有染此惡習的學生、甚至老師們也早已習以為常。反正吃得太過火，暫不談會得到甚麼後遺症，對他們而言，更重要的是教自己即時當眾出糗。

午後第一課，是周忠老師的課，他一踏進課室，虎彪已在大吵大鬧，哼著改編自流行曲的色情歌詞，惹起全班大笑。周忠看不過眼，就請坐在虎彪身旁的仰光送走他。仰光正要扶虎彪出去，想不到他用力一甩，仰光整個人給摔在

附近的桌椅上，把同學的桌子撞倒，他亦狼狽倒地。

虎彪光火起來，拍案而起，用歪歪斜斜的腳步走向周忠，把粗壯的手臂伸到他面前，用食指指著他的鼻子，大聲咆哮：「我唱歌不好聽嗎？你就大聲說出來啊！你不相信我是『超級巨聲』？」

周忠見慣這些大場面，連忙安撫著說：「彪哥，稍安無躁，你唱歌很好聽，我也相信你會在『超級巨聲』拿冠軍！」

「我覺得自己只能入圍決賽！你硬說我是冠軍，分明在奚落我！你找死——」他一手猛力抽起周忠的衣領，一記直拳硬生生轟中他面門，周忠整張臉滿是鮮血，當虎彪一放開他，他便像軟泥似的趴下，躺在地上，全無反應。

本來還在替虎彪吶喊助威的一眾同學，乍然目睹血腥的一幕，鬧哄哄的課室頃刻寂靜，大家一時間不知該如何處理。虎彪彷彿有了一刻清醒，他看看自己的拳頭，再看看地上鼻血染滿一臉的周忠，驚覺自己做了難以饒恕的錯事，

眼神充滿恐懼。

仰光從地上站起來，慢慢步近他，想勸服他冷靜，虎彪卻像盯著鬼魂似的命令他說：「不要過來！」

「沒事，你剛才有點不清醒，只是意外。」

「看我做了甚麼——」虎彪絕望地說：「你看看我，我把一個好老師弄成怎樣？」

仰光輕聲說：「你不是故意的，老師絕對不會責怪你，讓我幫你。」

虎彪看著愈步愈近的仰光，他猛烈搖頭，「我無法原諒自己！」一說完這話，他立即衝出課室門口。仰光連忙從後追出去，金希和旺財眾人也馬上跑向周忠，察看他的傷勢。

虎彪像一頭老虎般狂奔，仰光在後面窮追不捨，一連跑下幾層樓梯。跑到操場時，仰光發力擋在虎彪面前，張開雙臂，不讓他通過。

得悉內情的仰光，在沒有其他同學在場的情況下才說：「這不是你的錯！只因你剛才受藥物影響，失去意識，才會做出這些事！」

「我本身的存在，已經是個災難！」虎彪看著心知肚明的仰光，難掩悲傷地說：「放過我吧！明知會活在永遠不幸的將來，現在死去也稱不上可惜！」

仰光聽著虎彪這番話，感覺到話中殘酷的真實性，恍如一面鏡子似的反照著仰光自己，整個人不禁一愣。稍一鬆懈之間，虎彪已撥開仰光的手臂，如箭般盲目地直衝向校門外的馬路。

一輛高速的私家車剛好駛至，車頭攔腰狂撞向虎彪，把虎彪整個人撞上車頭玻璃。健壯如虎的他，像一隻突然斷線的風箏，在半空翻了幾圈，再重重跌在車後十多呎的路上，一動也不動。

仰光近距離目擊這一切，嚇得目瞪口呆，無法接受地一步步踱向虎彪。只見他臉色灰白，口裡不斷吐血，鼻耳也滲出血來，骨折使四肢呈現不可能的

扭曲。在相隔幾個人的距離，仰光不停下腳步，不敢走近已當場死去的虎彪。

在課室跑出來的同學也看到這駭人的一幕，各人張口結舌，站在校門前不敢踏前半步。剛照料好周忠老師、弄得滿手血跡的金希卻比誰都勇敢，她直走到倒卧在地的虎彪前察看一下，希望會發現奇蹟。最後，她只能頹然地確定他已不可能被救活。

金希緩緩站起來，充滿怒意地經過仰光身邊，牙縫間迸出一句：「下一次，你又會害死誰？」

這是一個月以來，金希對仰光開口說的第一句話，但這句話卻像一記不留情面的狠辣耳光，讓仰光無奈地全盤承受，卻難以向她解釋甚麼。

語畢，金希與仰光擦肩而過，只留下握緊雙拳的仰光，看著脫離了痛苦的虎彪。

救護車正由遠至近，發出悲鳴般的響號。

虎彪死去的那天下課後，旺財在校門前跟熙和Janice別過，便與金希同行。他終於忍不住問：「阿金，我倆認識這麼久，我滿以為已把妳的性格摸得一清二楚，但我真不明白，這次妳為何不向仰光追究到底？」

旺財身為得悉日昇自殺事件的當事人，而且是他揭發仰光的惡行讓金希知道的，對於金希對仰光由深仇大恨，慢慢減褪為不相往來，他一直無法理解。

金希拉拉書包的肩帶，竭力表現得冷靜，卻顯得不自然地說：「這是我和他之間的事。」

旺財顯然不滿意這個答案，他把心裡的困惑全盤吐出：「是不是他抓著妳甚麼痛腳，或是他用卑鄙的手段威脅妳？使妳不敢跟他作對？要是真的這樣，妳老實告訴我啊，我家裡有錢，也有個有權有勢的祖母，很多事也很易辦！」

「沒那回事。」金希說：「要如何對付他，我自有分寸。」

旺財側著臉看金希，這些日子以來，她一直戴著一個紫色、一條條扭曲得像小蛇般的長假髮。他猜想，她在假髮下的頭髮大概已長回不少。旺財一直沒有忘記，當日金希得知日昇被仰光害死，因情緒激動而暈倒，當她在醫院甦醒過來，從他口中得知日昇自殺的所有真相後，他只是離開一會兒替她買食物，回來時卻發現她用剪刀剪著自己的頭髮，碎髮散滿一地，剪得連頭皮也看得見，真是既駭人又教他心痛。

當時，旺財馬上奪過剪刀，心痛地問她在做甚麼，她激動地說：「我痛恨那個為仰光而裝扮得好好的自己！我很痛恨她！」他安慰了她一整晚，她才稍為平靜下來，告訴他：「我明天就要上學，我要面對那個人。」

旺財當時看到她瘋子般的眼神，知道一切已無可挽回，卻也因此，他對金希之後那麼輕易便放過仰光，實在大惑不解。

「我知道你倆喜歡對方……是不是你們之間達成了甚麼協議？」旺財勉強擠出一個笑容，努力地說：「就算真是這樣，妳也不必覺得難為情，我總有權知道吧？」

「不，我跟這個人之間不會再有來往，他是我一輩子的敵人！」金希眼中閃出一股怒火，「總之，我會親手解決他，你不要多問了。」

旺財看到她怒氣沖沖，反而放心了點，認真地說：「好了，妳要我不插手，我便不管。但阿金，妳要記著，我永遠站在妳那邊，有甚麼需要，只要出一句聲便行。」

「我就是知道，所以我毫不擔心。」

「有需要時，我會由善良的芝娃娃，變種成一頭凶猛的狼狗！」旺財挺起平平無奇的胸膛，幸好他是男孩子啊。

金希給他逗笑了，喊他一聲：「旺財。」

「旺財在此！」

「你這頭狼狗，近來好像成熟不少啊！」金希說：「是愛情的力量嗎？」

「也許吧，但我肯定自己不是打了羊胎素。」旺財汪汪狂吠，引來路人怪異的目光。

兩人在車站道別，金希看著旺財拐過街角後，就離開了車站。

她一邊走，一邊掏出手機，再看一遍今早接收到的短訊：**「今午四時半，詹仰光會在兆好商場的噴水池進行交易。」**

她依時抵達兆好商場中層的咖啡店，在這個位置，可以居高臨下，把中庭噴水池的情況一覽無遺。剛好四時半，身穿校服的仰光現身在噴水池前，他提著書包，手裡拿著一個印有聖本心書院校徽的文件夾。然後，他小心注意水池附近沒有可疑人物，便走近一個坐在水池旁的少年，把文件夾交到他手中。少年也把一個公文袋交給他，二人像朋友般笑談幾句，便各自往不同方向迅速離

開。

金希呷著在店裡買的咖啡，逕自詫異地發笑，就像一頭在草叢中鎖定了獵物的豹，只待撲出來咬斷獵物脖子的一刻。

就在劫匪闖進學校後幾天，金希突然收到一個手機短訊，上面寫著：「**我們有個共同敵人詹仰光，他今晚六時會在康健幼稚園大門外進行毒品交易。**」金希對這個訊息的真假存疑，便依據發送短訊的電話號碼撥出，如她所料，電話不能接通，這個通風報信的神秘人，看來是刻意要隱藏身分。

她也害怕這是個陷阱，便故意找一個人來人往的地點遠遠觀看，以保障自己的安全。她在訊息所示的時間遙遠監視，仰光真的依時出現，跟一個女孩以快速手法達成交易。

四天後，她又收到另一個短訊，這個自稱是她盟友的人，提供的資料完全正確。這一個月以來，她共收到六個短訊，也親身查探了六次，沒一次落空。

因此，金希彷彿找到比處死仰光更絕妙的復仇方式，當她想到這一點，整個人反而變得非常沉著，不動聲色。

當然，她沒有把這件事告訴任何人，包括旺財。但正如她曾經告訴旺財：「我會親手解決他！」她就像看著仰光一步一步走進她設計的捕鼠器，她不要錯過看著他被壓得血肉橫飛的一幕。

——下一宗交易，就是仰光的死期。

下課後，金希乘車前往弟弟就讀的華人書院。她已提前知會校務處的職員，當她一抵達，馬上獲得一位男職員上前招待。當男職員帶領金希走進學校，男生們皆用古怪的眼神看著她，大家對於在這所男校內出現異性，還要是一家band 3學校的女生，感到莫大好奇。

在校務處裡，金希把一直帶在身邊的遺物交給職員，對他們說：「這是我

弟弟留下的課本，我放在家裡沒用，丟掉又很可惜，所以決定交給他的母校，任由你們處理。」

職員們作出衷心的感謝和慰問，並讚揚金日昇在校內作出的貢獻，他的突然離世，是學校的損失云云……最遺憾的是，一個月前，金希已從旺財口中得知關於弟弟暗地裡做的事，如今，她只覺得一切聽來都像是笑話。但她只是沉默地聆聽，希望借助他們的話去安慰自己。

然後，職員將一個紙盒交到她手中，對她說：「這是校方準備頒給日昇的獎牌……但由於日昇的離世，我們一直保存著它，現在請妳替他保管。」一名多愁善感的女職員不斷抹著淚水。

金希打開盒子，取出一個「禁毒先鋒」的表揚獎牌，她心裡感到一陣強烈諷刺，但只能不動聲色，一臉木然地說了句：「謝謝你們，我弟弟一定會很高興。」

這天下課後，仰光返回聖羅蘭男女子中學，因弟弟愼曦參加了一個校內歌唱比賽，他參賽的歌曲，最好能以鋼琴伴奏。仰光得知此事後，兩兄弟在家裡練習了整個星期，彼此培養出一份默契。由於學校只能播放一般配樂的CD，而愼曦又無法分心自彈自唱，仰光也就義不容辭地主動提出幫忙，讓愼曦感激不已。

這一次，仰光表現得十分低調，絕不要搶去弟弟的風頭。當台下觀眾專注望著走到舞台上的愼曦，仰光早已坐在那台藏身在紅色絨幕後的鋼琴旁。兩兄弟相視一眼，仰光彈出第一個音符，修長的十指有如行雲流水，愼曦也盡情發揮自信的歌聲，唱出感動人心的歌曲，兩兄弟配合得天衣無縫。

彈琴的時候，仰光突然憶起上次坐在這台鋼琴前的情景。當時，他代替弟弟出賽，並帶了金希來。他對金希説：「妳為我做了很多事，我可以把這曲

子獻給妳嗎？」「我不懂音樂啊！」「妳不用懂啊，只要豎起耳朵聽一下就好。」「好啊，那我洗耳恭聽啦！」回想起來，仰光一直會心微笑。

當一曲以完美的音階完結，慎曦走回台後，難掩高興地說：「哥，我們成功了！」

「我先走啦。」

慎曦一臉奇怪，「你不留下來看比賽結果嗎？但無論賽果如何，我倆也該慶祝一下吧？」

「我們不要令校方太難做，我畢竟也是被趕出校的爛學生啊。」

慎曦一臉歉疚地看他，仰光拍拍他肩膊，笑說：「那當然，若你得了獎金，要分一半給我！」

「獎金全歸你啦！」慎曦也笑了，「我只想摘下那塊獎牌。」

離開聖羅蘭後，仰光在附近逛了一圈。他原以為，他在這家學校讀了幾

年，一定留著很多可堪記念的回憶，但當他回到昔日自己常去的街道和商場，卻只覺一陣不動容的陌生而已，甚至有再逛下去也不過如此的感覺。因此，當他路過一個巴士站，看見一輛巴士正在上客，便隨便踏上車，只想儘快離開。

仰光走入巴士車廂，眼前的景象使他不可置信。他瞧見金希正坐在近車門的座位上，而金希也突然留意到穿同一校服的仰光，兩人對視一眼，彼此臉上沒露出任何表情，實則內心一陣驚訝。

困在同一個課室是無可避免的事，但老遠走到這裡，大家怎可能在路上千萬輛巴士的其中一輛上不期而遇呢？

仰光怔了兩秒鐘，隨後上車的乘客迫使他繼續向前進，他看一眼金希旁邊的空位，馬上別開臉，繼續向車尾走去，隨便找個位子坐下。

金希斜眼看到仰光經過了她身邊，加速的心跳才慢下來。她害怕仰光坐到她身旁，若是這樣，她也只能無可奈何吧？但另一方面，她又預計到仰光不會

坐下來，只因他沒那種膽量。

坐在車尾位置的仰光，不知是否坐得太貼近巴士的水箱或甚麼機械組件，只覺得渾身發燙。他好不容易才冷靜下來，迫令自己避開金希的視線，但仍逃避不了不停偷望她的自己。

平日在課室裡，兩人所坐的位置並列在同一橫排，假如他側過頭看她，馬上就會被她發現，令他失去了那種肆無忌憚凝視她的機會。眼前的金希仍戴著那個鬈曲得像小蛇般的紫色假髮，蓄著一頭紅髮的仰光總是猜想，她跟他其實也一樣，想藉此變成另一個人，擁有不一樣的脾性。

那麼，她便能夠自然地恨透對方，卻又不會反責自己的冷淡無情。

坐在前頭的金希，整個人顯得怪不自然，她感受到身後的仰光的視線在她身上徘徊，一想到此，她雙肩便不自禁地僵硬起來。金希腦裡不停浮現兩人過去的回憶，但她又極力想令腦海一片空白，這讓她感到很困倦。她偶然看看車

窗外的景物，才驚覺已到達深水埗了，她拉起書包的肩帶，趕忙下車。離開巴士後，她故意朝車行的方向走，儘量不要與車廂內的仰光有眼神相碰的機會。當她感到開行的巴士快要駛到自己身邊，就隨便走進一家時裝店，不讓快將經過她身邊的仰光有再瞧她一眼的機會。

當金希在那家時裝店逗留了兩分鐘，確定巴士已開走後，她才走出街外。然而，當她看看自己本來拿著弟弟獎牌的左手，這刻卻空空如也，她即場呆住了。一定是剛才慌忙下車時，把獎牌遺留在座位上！

縱使不發一言，仰光亦感受到那種與金希同車的無聲對峙，因此，當她下車後，他大大鬆了口氣。當他準備在兩個站之後的旺角下車時，手機響起，他看看來電顯示，整個人不禁發愣，是金希的來電。

他深深吸一口氣，以最平常不過的語氣接聽。金希態度冷淡地問：「詹仰光，你仍在車上？」

「我在車上。」

「我不小心在車上遺下一個小盒子，是重要的物件，替我看一下。」她用命令的語調說。

仰光任由她佔上風，順從著說：「沒問題，我馬上找。」

他掛線後，正準備上前查看，此時巴士抵站，當司機打開車門，乘客們便魚貫下車。一個剛從上層走下來的男人，瞄到金希的座位，便眼明手快地取去小盒子，然後順勢下了車。

車門關上，仰光遲了一步，巴士已開行了一段路。他衝到車門前，大聲喝令司機停車，司機見他氣急敗壞，便打開門讓他下車。仰光在街上追，好不容易在一條橫街發現那男人，正鬼鬼祟祟地打開小盒子。仰光大聲喝住他，男人見事敗，把小盒子大力一拋，發足狂奔。仰光無法兼顧，只得放棄捉拿這個賊。他看看那個被拋到一幢工業大廈一樓冷氣槽上的小盒子，隨即擲下書包，

擦擦雙手，開始爬上水管。

返回家裡的金希，為了失去弟弟的遺物而患得患失。手機響起，她看到仰光傳來的短訊：**「金希，小盒子在妳家門前，請接收。」**

她連忙開門，地上靜靜躺著一個小盒子，打開一看，日昇的獎牌安然無恙，她心裡才輕鬆下來。

與此同時，她的心情又陷入矛盾，在想應否給仰光一個電話或發個短訊。她把獎牌放回盒子，忽爾發現紙盒上有點點血跡。她赫然心驚，重新開門，這才留意到樓梯上有一點一滴的鮮血，伸延成一條隱約的血路，一直通上天台。

她心裡冒起一陣寒意，慢慢沿著血路步至天台的小石牆前。她要深深吸口氣，作好莫大的心理準備，才探頭向下一望。

沒看到跌個粉身碎骨的仰光。

這時候，她身後傳來一陣非常輕微的聲音，回頭一看，躲在天台鐵門後的仰光，正要鬼祟地下樓，她喊住了他：「詹仰光，停下來。」

正踏下樓梯的仰光怔了一下，才轉頭向她，臉有難色地說：「我不知道妳會上來。」

「你在天台幹麼？」

「我只是想來看一下，馬上就走。」

金希看看那條血路，想到仰光剛才是走到小石牆前，探身望向樓下。而下面正是她家的廚房，也就是日昇墮樓的地方。

金希強忍滿腔情緒，冷冷地說：「你受傷了？」

「只是小事。」

「給我看。」

仰光沒法隱瞞，只得向她展示一直收在身後的左臂。他前臂有一道三吋長

的傷口，是剛才爬水管時，不小心被水管的尖角割破了。

金希目無表情地看著那個仍然不停滲血的傷口，淡然地說：「等我一下，我替你包紮。」

「真的不用了。」

「只因你替我取回小盒子。」她補充一句：「我不想虧欠你，就當是扯平而已。」

她不理會他的拒絕，逕自跑下樓。仰光只是不捨地看著她的背影，然後露出一個安慰的苦笑。

金希從家中拿了消毒藥水、綿花、紗布等上天台，但已不見仰光的影蹤。她不知自己該有甚麼感想，是生氣？或是洩氣？她只得捧著一大堆藥品，走到小石牆前，俯視雜亂的大街，好不容易才在人群中捕捉到仰光的身影。她的目光一直追著他，直至他拐過街角消失為止。

她發現仰光一直沒回頭。

也許，仰光就是知道她正在凝望他，所以沒回頭。

回頭是代表戀戀不捨吧？
我卻是到這一刻才發現，
原來，不可以回頭，
背負著對方深深的凝視而去，
也是一種淒美的道別方式……

第三章

我很喜歡與妳分享一切，即使我擁有的本來就不多

我很喜歡與妳分享一切，
即使我擁有的本來就不多。
蘋果、辣辣壽司和一塊梳打餅，
我的成就、鬱鬱不得志以及我錢包裡的紙幣，
甚麼都分一半給妳就好。
來換妳分給我的，
妳人生的大部分時間……

自從旺財祖母出席了珠珠公公的喪禮後，也就默許了旺財與珠珠在一起。雖然同住在不足四百呎、極之簡陋的公屋單位內，旺財卻感到在祖母的千呎大屋也找不到的家庭溫暖。一對小情侶，倒也過得平靜而愉快。

當然，旺財決定要住在這裡，也要像個男子漢大丈夫般付出。他與珠珠一樣，在課餘時間找了一份兼職，分擔兩人的生活費。而祖母依時存入他戶口的零用錢，他一毛錢也沒動過。

每晚兼職後回到家中，已是晚上八九時，兩人會輪流煮些簡單的晚飯，多數是兩餸一湯。有時候，旺財會參照網上的食譜，突然為珠珠做一頓意大利粉或牛扒，讓她既驚喜又滿足。

兩人並肩窩在小沙發上，看的是沒有任何高清頻道的舊式電視機。這是旺財一天裡最快樂的時間，那種快樂看似廉價，卻不是用錢可以買得到。

由早上七時上學開始，過了老半天才能休息的旺財本已累壞了，但晚上卻

總睡不好，不斷輾轉反側。很多時候，他總覺得屋裡有些奇怪的聲音。他懷著不安的心情起床查看，發現可能是猛風撞擊窗框的聲響，或者是走廊傳來鄰居夜歸的腳步聲，他便鬆口氣，取笑自己太多疑。

但另一方面，每當看到整晚亮著紅燭燈的靈位，他心裡又會冒起一陣心寒的悔疚，久久無法驅散。

每次看著珠珠公公的遺照，總使旺財急著移開眼睛。那是因為，只要接觸到這張慈祥的臉容，他便變得更加無法釋懷，更加難以原諒自己。

這天，珠珠的學校舉行「教師訓練日」，全校停課一天，她歡喜地獲得一天假期，讓旺財感到很不忿氣。當他穿校服時，跟珠珠說：「妳真不知哪來的好運氣！無端多了一天假期！」

珠珠笑了，「不要孩子氣啦，我請你吃早餐。」

「不如我請妳吃早餐，妳穿上我的校服，代我上學啦！」

「沒問題啊！」她笑著問：「只有一個問題：萬一我想上廁所，要去男廁抑或女廁？」

「妳就儘管忍一天嘛！」旺財兩個鼻孔在噴氣。

兩人在家樓下的茶餐廳吃完早餐，前一晚睡不好、仍是睡眼惺忪的旺財老大不願意地等候回校的巴士，珠珠取笑著說：「不要像賴皮的幼稚園生，我今天做一頓豐富的晚飯給你吧。」

「晚上買菜會有特價啊。」他還是沒精打采。

「早上去街市買菜會特別新鮮，不必等到夜晚回來，只能光顧超級市場，買別人挑剩的。」珠珠逗他歡喜，「偶然也得給自己一點獎勵啊。」

旺財抖擻精神，微笑著說：「好吧，我就像等不日放映的好戲，密切期待妳煮的晚餐啦。」

旺財踏上巴士，兩人隔著車窗道別。車子開行，他感到一陣奇怪的孤獨。

兩人的學校只相隔一條街，每天也有珠珠坐在身邊，兩個渴睡的人，在長途車上總是相倚著睡，很多時候連誤了站也不覺，兩人狼狽地趕緊跑回學校，卻又感到如惡作劇般沾沾自滿。

下車後，走在回校的小路上，旺財聽到前面兩個女生在竊竊私語。一個臉孔長得像一匹馬的馬臉女生說：「咦，那個Janice居然還可以每天照常回校，完全不把自己的床上短片當一回事。」

另一個臉上暗瘡像要隨時射出黃色膿血的女生回應：「她大概中文科成績不好，不懂怎樣寫『羞恥』兩個字吧？」

旺財聽得光火，他大踏步走上前，在並行而霸佔了小路的兩個女生身後大聲說：「借過！」嚇得兩人全身一震，側身讓他走過。他毫不客氣地從中間穿過，故意用肩膊粗魯地撞向她們，差點把兩人撞出馬路。

他三步併作兩步，跑到在兩個女生前面不遠的Janice身邊，跟她道了早安。

「旺財，你不用陪女朋友吃早餐嗎？」Janice已從旺財口中知曉他和珠珠的事。

「妳呢？怎麼不見了熙？」旺財也得知Janice和康熙拍拖了。

「他今天有點感冒，請假一天。」

旺財咭咭地笑，「真奇怪！熙往常的體質不是這麼孱弱呀，會不會是妳令他太粗勞，把他累壞了啊？」

Janice白他一眼，「你這頭狗，嘴巴永遠長不出象牙！」

「就算長得出，也一定是鑲上去的啦！」他還是那副嬉皮笑臉。

當兩人並肩走近學校範圍，早已有一群烏鴉佇候在校舍各層的簷子上。即使在這裡上學多年，旺財仍是難以解釋，為何附近那麼多間中學，牠們偏偏只喜歡棲身在聖本心。如果任由他猜想，他只能解釋是物以類聚，不是有一句俗語說「天下烏鴉一樣黑」嗎？

走到學校圍牆外，一群烏鴉無聲無息地拍翼起飛，旺財眼明手快，馬上抓住Janice的手臂，把她拉向自己。Janice仍未弄清狀況，一堆鳥糞已掉在她原本要走的路上，Janice呼一口氣，說：「我差點中頭獎！」

「哈哈，妳不用分一半獎金給我，我心領了。」

「無論如何，謝謝你啦。」

「不用客氣，妳不要時常向別人揭露我的真正身分就好了。」

Janice連忙搖搖頭，用認真的語氣說：「不，我從沒有向別人透露你是億萬富翁的兒子。」

「不，不是這個。」旺財用說秘密的語氣說：「我的真正身分是一頭狗！」

「哼！」她用力一拍他後腦，他不經意「汪汪」地悲鳴了兩聲。

Janice頓了一下，說：「只不過，那是一種凶兆吧？」

「凶兆？」

「是禍避不過啊。」她的神情閃過一陣陰霾，「避過一次輕微的，下次大概會發生嚴重的。」

旺財想一想，就與Janice調轉位置，換作他走近學校外牆那邊。他笑著說：「好吧，讓冷氣機掉下來，砸死我好了！」

Jancie皺著眉，「這種事說不得笑，你最好吐口水再說一遍！」

旺財順從地向學校外牆吐了一口口水，滿認真地說：「真希望冷氣機掉下來，砸死我們後面兩頭怪獸便好了！」Janice沒奈何地笑。

對於兩人可以回復朋友般的輕鬆相處，旺財真的感到很高興。一個月前，Janice從前拍下的床上短片傳遍學校，旺財得悉此事，亦怕她會承受不了。最意想不到的是，熙竟然在這時候以Janice男朋友的身分挺身而出，擔起保護她的責任。而Janice亦每天照常回校，勇敢面對一切指指點點。旺財相信，即使換作是

自己這種厚臉皮的人，面對這種事，不從天台跳下來，也勢必整天瑟縮在家避風頭吧。

面對猶如細菌般快速散播的床上短片，旺財想努力制止，卻是欲救無從。因此，他更加對Janice和熙的反應心悅誠服。是的，他也喜歡Janice，但他喜歡Janice的程度，與熙比較起來，只顯得膚淺可憐。他比不上熙的氣量——對Janice的過去毫不在意。因此，他對熙確實是佩服得五體投地。

小息的時候，為了免除到食物部花錢買零食的慾望，旺財在自助飲水機喝水後，便走到天台曬太陽。在可省便省的原則下，一枝汽水也是奢侈品。他走上天台伸懶腰，把臉迎向普照的陽光，盡情吸收免費的維他命D。當他偶爾望向某個陽光照射不到的暗角，卻發現有個女生瑟縮地蹲在地上，雙手抱膝，垂下了臉。

他細心留意一下，不禁霍地一呆。他認得那一把秀髮，還有那個名牌髮夾，是Janice。

考慮半晌，旺財才慢慢向她走過去。他的身影形成巨大的陰影，把那麼一點僅有的光線都遮擋著。她抬起頭，旺財駭然瞧見她通紅的雙眼。

他非常識相地作出反應，走到她身邊，一同背倚著牆蹲下，笑著說：「雖然一日不見，如隔三秋，妳掛念熙，我明白，但也不用這麼傷心吧？」

Janice掀起一個非常苦澀的笑容，「不是這回事。」

旺財嘩嘩大叫：「難道妳想念另一個男人？」

Janice恍如給他說中心事，輕輕說了句：「嗯，是這樣。」旺財隨口說說，反給她的回應嚇了一跳。

她把握在手裡的手機交給旺財，他看了那個短訊，頓然明白她話裡的意思。短訊是Janice內地親友傳來的，是她身在廣州的公公病危的消息。

道。」

旺財默然半晌，才把手機遞回給她，神色嚴肅起來，「很抱歉，我不知道。」

「沒關係，我與公公只見過幾次面，雖然是親人，但不算很親。」Janice嘆息似的說：「只不過，突然收到這個消息，始終不知如何是好。我活了十七年，還是第一次面對親人病重。」

「妳有沒有打算上廣州一趟？」

Janice搖搖頭，「我知道來回車程只是幾個小時而已，可是，我不想去。」

「為甚麼？」

Janice轉向旺財，一臉惘然地看他，「因為，我恐怕我已認不得他了。」

不知怎的，這一刻的旺財，一直想著珠珠的公公，他苦澀地笑了一下，「可是，就算只能見他最後一面也好……」他驟覺自己失言，馬上清醒過來，「對不起，我不是詛咒妳公公——」

「我當然知道。」Janice把後腦輕輕敲向牆壁，說得猶豫不決：「你說得對，我會在放學前決定怎做。」

上課鐘聲響起，旺財站起來，看看有氣沒力的Janice，向她伸出手臂，她也伸出手來，他使勁把她從地上拉起，她朝他笑笑，他感到她的手很冰冷。

下課後，旺財執拾好書包，抬頭卻發現Janice已離開課室。他跑出課室，在一堆堆學生中搜尋，到校門外才瞧見腳步匆忙的Janice。旺財連忙追上前，走到她身邊，「哎呀，妳簡直是來去如風啊！」

Janice用陰森的眼神看他，冷淡地問：「甚麼事？」

旺財一時啞然，勉強才說：「妳剛才說，放學前會決定去不去廣州……我在想，要不要陪妳——」

她打斷他的話：「你為何那麼關心我？」

旺財一下子答不出。

Janice不理他的反應，氣沖沖地逕自走過校門前的馬路，步進對面的小公園。旺財遠遠跟隨其後，他不知道她的態度為何會忽然一百八十度轉變，但又不禁擔心她。

Janice在公園走了半圈，在兩旁高聳的松樹下倏地停下腳步。她掏出手機，按了幾下，旺財很快便聽到自己的手機在響，而Janice也發現了，她轉過頭，凝視著在身後對她不捨不棄的旺財。

旺財聳聳肩，向她報以微笑，緩緩走到她跟前。

「剛才，我的心情很壞……我公公死了。」

「嗯。」旺財明白她的失常，安慰著說：「公公必定知道妳有見他的那份心思，只是消息來得實在太遲。」

「不是這樣的。」Janice眼圈通紅，連聲音也在微抖：「那個短訊，我昨晚

已收到，我有一整天時間去考慮，但只是一直嫌麻煩，不想去而已……直至剛才也不打算去。我就像靜靜地拖延著，等待他的死期一樣……只要收到他死掉的消息，我便能大大鬆一口氣，繼續過我正常的生活……」

旺財心裡黯然。與此同時，他又想到珠珠公公的意外去世，他根本來不及見他最後一面。他無法用言語安慰Janice，只把她緊緊抱進懷裡，彷彿要借助她來安慰自己。他輕拍她的背，她本來繃緊的整個身軀，慢慢便放鬆下來。他難以啟齒，想了好一陣子才找到最恰當的話：「妳不明白的是，如果妳不疼愛公公，根本不會有一刻為他擔憂。」

「我這樣也不算不孝嗎？」Janice伏在他的肩膊上問。

「送機也不一定要正正站在機場閘口前嘛。最重要的是，縱使離別了，對方也總能夠活在妳心裡。」

「謝謝你，旺財。」她的聲音有種釋懷：「我想，我沒事了。」

旺財在她耳邊笑說：「真討厭！這種話不該由我來說，是熙的責任啊！」他輕輕放開她，她擦拭眼底下的淚光，向他報以一笑。

兩人在路上道別後，旺財感到心情一陣暢快。他剛才抱著Janice的時候，是前所未有的心無雜念。而這種毫無雜念，讓他更清楚自己真正喜歡的是誰。

要是一個男孩真正喜歡一個女孩，他便會不期然在心理上「自我閹割」，對其他女孩提不起強烈的興趣。

在快餐店兼職的三小時結束，下班後，同事們提議一起去唱K，旺財笑著婉拒，同事笑問：「約了女友啊？」

他笑著說：「我們每晚都在追看電視劇。」

臨走前，一向賞識旺財的經理揚手叫他過去，偷偷塞了一袋外賣的炸雞給他，「剛才落錯單，放涼了賣不去，丟掉又可惜，給你在晚飯『加料』吧。」

他滿心感激地道謝，面帶笑容地離開。

乘搭巴士返家，旺財有說不出的快樂，如果可能的話，他希望這種簡單生活可以維持一輩子。當他推門進屋，一陣誘人的香味讓他餓得飢腸轆轆。他向著廚房內的珠珠大叫：「我回來了！」

「旺財，你回來就好。」珠珠探頭出客廳，「家裡沒豉油和廁紙了，你替我去超級市場買吧。嗯，記得帶『易賞錢』卡儲積分。」

「沒問題，馬上辦。」他放下書包，拿起錢包，拉開鞋櫃旁放雜物的抽屜，裡面有一大堆從報紙剪出來的優惠券，還有大小商店的會員卡。但他翻箱倒櫃，卻遍尋不獲那張「易賞錢」卡。憑那張卡購物，除了可以儲積分換禮品，購物亦會得到額外優惠，他實在不甘就此罷休。

他向廚房大喊：「我找不到，會否放在別處？」

「不會啦，我記得前天明明是把它塞到抽屜裡去。」珠珠大叫：「你找清

楚了沒有？」

旺財又仔細再翻查一遍，始終一無所獲。他靈光一閃，把整個抽屜拉出來，只見底下藏著那張「易賞錢」卡，他說了一句「bingo」，得意洋洋地笑了。他以前也遇過同樣情況，假如抽屜放滿了仍強行關上，一合一開之間，有東西給拉扯下，便會跌進抽屜下面。

當他抓出「易賞錢」卡的同時，留意到卡下還有一張對摺著的紙，也順道把它取出來。當他翻開一看，卻發現不是甚麼優惠券，而是一張支票——銀碼寫著一百萬的支票，開票人是他祖母。

旺財不能置信地盯著支票良久，他活像步向行刑場似的，一步步走向廚房。

正在炒菜心、把整個廚房弄得烏煙瘴氣的珠珠，見到旺財呆站在門口，問：「這裡油煙大，你站著像個傻瓜幹麼？找到那張『易賞錢』卡了沒有？」

旺財伸出抖震的手，向她展示支票，「我找到這個。」他沒想到自己連聲音也發顫。

珠珠瞇起雙眼，在白煙飄揚的情況下，遠遠看著那張支票，過好一會才睜大眼睛，眼中有一種惶恐，彷彿終於弄清自己被揭發了甚麼。

她別過臉，沉默地關上煮食爐，然後，把那頂防止頭髮吸了油煙味、卻顯得極可笑的史迪仔浴帽脱下來。她轉身向旺財，神情變了，語氣也變了。

「既然如此，不用我說明，你也明白我收容你的原因吧？」

「妳沒其他解釋？」

「不如說，妳希望我解釋甚麼呢？貪錢可不是罪吧？」珠珠木無表情地說：「只不過，無論怎樣說，你這些有錢的大少爺始終無法明白吧？」

旺財只覺天旋地轉，艱難地吐出一句：「難道……這些全是演技嗎？」

珠珠目不轉睛地注視著他。

「我不相信，那一定有真實的成分——」旺財眼眶紅了起來，「我們曾經一起面對公公去世的傷痛、半工半讀地努力維繫這個家、疲累得在長途車上依偎熟睡，妳的口水滴到我的衣服上……我倆也一同大罵過妳的經理是賤人、為了菜販多收兩元而生氣……妳不是也對我說過嗎？我倆是同一類人，不需要太多物質……我們跨越這麼多障礙，難道這些也可作假？」

珠珠給他盡情發洩完情緒，彷彿對他的話置若罔聞。她冷笑一聲，快速從他手中搶過支票，用不帶任何感情的語氣說：「打從你第一天認識我，你就該知道，我不是一個值得你信任的人。你執意要相信我，問題不在於我是個壞人，只是你太自信可以改變我這個壞人！」

旺財完全怔住了，他當然記得首次遇上珠珠的情形：她高舉手機，興高采烈地拍攝三個女生輪流掌摑另一個女生的虐打過程，她又欲以旺財粗暴地把乾瘦女生推到牆上的短片威脅他……這才是她真正的本質嗎？他感到真假難辨。

旺財盯著珠珠，好不容易才找到一個破綻：「那麼，妳為何不去兌現這張支票？」

「只要你繼續賴在這裡，疼愛你的祖母便會出價愈來愈高吧。」珠珠說：「你是一隻升值得不見頂的藍籌股，我怎捨得放過呢？」

「夠了！」旺財放聲大叫，他不要再聽下去。她每句話，都像一把刀在他的心窩上不斷磨削，讓他心頭滲出血來。

「這些王子變青蛙的生活，是你們這些有錢人最喜歡的玩意吧？」她說：「甚麼做一星期苦工、住貧民區、每天用少得可憐的零用錢，甚麼體驗窮人生活，全是無聊的屁話！你們不介意捱窮，只因你們玩夠了，待會便可以飛去巴黎吃血鴨，住四季酒店！」

「不，妳錯了，這不是遊戲，我從來沒打算離開妳，我是真的想跟妳這樣地生活。」

「那很遺憾，我倆的想法差天共地，我想得到的，就是你本來的生活！」

旺財感到自己的心裂開了，他咬咬牙，說：「那麼，一百萬太少了吧？」

她把支票放進圍裙的袋子裡，掀出一個微笑，「不算少，足夠買起我的人格。」

滿心悲憤的旺財，不知不覺說了毒辣的話：「那麼，妳這次投機正確，真是賺翻了！」

「青蛙王子，你也不弱吧？」珠珠的嘴角勾起一抹冷笑，「你這次度假式的離家出走，讓你祖母擔心死了，當你凱旋回歸後，她一定對你寵愛有加。你將來得到的，絕對會比以前更多！」

旺財一臉木然，「無論我將來變成怎樣，也與妳無關。」

「對啊，所謂『各得其所』，就是這個意思吧？」

旺財緊緊抿著雙唇，他本來可以說更多怨憤的話，但他自覺必須首先停

止。他只希望對珠珠保留最後一絲好印象，這樣不是為了珠珠，而是為了避免傷害早已受創得夠深的自己。

他用盡最後努力，平靜地說了一句：「不打擾妳了，我現在就走，再見。」

珠珠眼神裡沒絲毫留戀，只是說：「我已經不用演戲，所以不送你，也不說再見了。」

旺財慢慢轉身走出客廳，向著門口步去。他好幾次想回頭，甚至閃過一個怪異的想法，猶豫是不是該吃過最後的晚餐才離開。他很相信，自己大概真是她欺騙過的最大客戶吧？可是，他迫令自己不能回頭，他一定要等她追出來，大聲叫住他為止。

他用力打開鐵閘，故意發出很大的聲響，但直至他步出走廊，把鐵閘關上，珠珠還是沒有追出來。他這才透徹地意識到，一切都不是一場戲，而是非

常殘酷的現實。

終於，他慢慢走進升降機，視線一直盯著走廊盡頭——珠珠的家門口——直至升降機門自動關上，恍如要把他拉進地獄似的往下墮。他知道，一切皆完結了。

接著，出乎他預料的是，他竟不自覺地吁了口氣，心頭大大一鬆。只因自己不用再面對珠珠，他想到那種極端的正面結果——他只要看著珠珠，便不期然想起自己背負著對公公的那種未償之罪。

在台式茶坊的餐牌上，
總有一種飲品叫「隨便」，
最適合那種沒主意的客人。
但願，
讓妳做我的沖茶師傅，
我把我的命都全盤交託給妳處理……

第四章

我不是妳心目中所想的我，妳會失望嗎？

每個人在另一個人心中也有特定形象，
不知道在妳心目中的我，
是不是妳心所想的我呢？
由於太寵妳了，
就會恐怕讓妳失望。
我但願可以緊密地配合，
即使被妳搓圓壓扁也不怕。
我可以成為妳的陶泥，
讓妳把我由無到有的捏出來，
由塑造至粉碎……

上學之前，諸葛囧約了仰光在一家茶餐廳吃早餐。這裡有一層閣樓，兩人坐在上面，可以將上來的客人看得一清二楚，避免被人偷聽到他們的對話。

熱咖啡送上後，諸葛囧替仰光下了兩顆方糖，他感激地說：「仰光，幸好我按照你的指示去做，否則，我們一定會出亂子吧？」

仰光笑了笑，他知道諸葛囧所指的是前兩天那宗交易。對方是來歷不明的新買家，但他竟然有方法主動聯絡身為首領的諸葛囧，並指定要跟他親自進行一項高價交易。諸葛囧為了此事而舉棋不定，就暗地跟仰光商量。仰光教他在臨近交易時間前突然改變地點，最後，那個新買家並無依時出現，取消交易以後，更像人間蒸發般失去聯絡。

「就算是現有的買家，還是避不開爾虞我詐，更何況是互不相識的人？」

仰光用茶匙攪拌咖啡，以一副老練的語氣說：「如果對方有心達成這宗交易，即使改到警察局門口，他們還是會照樣出現。可想而知，若非他們的防範心太

強，就是在原先的交易地點佈下陷阱，存心對我們不利。」

諸葛囧連連點頭，回想著說：「霍品超一早向我說過，你和他是同一種人，萬一他出了甚麼意外，我可以把你當作顧問，參考你的意見。」

自從霍品超不在，諸葛囧便對仰光言聽計從，彷彿從霍品超的門下，轉投到仰光的門下，但他半點也不介懷，更像身在保護網下般自在。

聽到霍品超的名字，教仰光不勝感慨，他說：「如果說，我現在有甚麼想法，應該都是從他身上得到啟發吧？」

「不要太謙虛了，你有這個慧根啊！」諸葛囧指指自己的鼻尖，「你看看我，永遠只能裝模作樣，除了在大家面前神氣地裝一下大哥，也就沒料子了。」

「大哥，你看看那些大老闆們，主要職務就是簽名啊！」仰光笑了，「繁重的工作，就交由下屬去做吧！」

諸葛囧嘆口氣，「不知何年何月，我才有機會親自率領一宗大買賣呢？」

「總有機會的。」仰光盯著諸葛囧，彷彿叮囑他地說：「萬一——我只是說萬一——我也不在了，你就要變得堅強。」

「我可以嗎？」諸葛囧不安地問。

「你可以的。」仰光用肯定的聲音說。

那天下課後，諸葛囧、仰光、Angel、高顴骨和雄霸在學校附近的麥當勞聚頭，幾個人恍如在街上工作了一天的電訊服務推廣員，下班後聚集在一起檢討業績。領導人諸葛囧宣布，在本月的交易排行榜中，以高顴骨的銷售成績最好，仰光排第二，雄霸排第三，最差的是戀愛大過天的Angel。

諸葛囧對Angel嚴厲地說：「妳這陣子在搞甚麼？妳曾經是我們的最佳銷售員啊！」

咬著薯條的雄霸，不忘在旁揶揄她：「她把美色都奉獻給一個人了！連最厲害的人間兇器都失效，當然會跌出三甲啊！」

「喂，你以為自己很厲害嗎？」Angel不屑地說：「哼！你的成績也只排尾二，竟敢那麼多廢話？」

諸葛囧向雄霸訓示：「你也一樣，拍那麼多校園欺凌短片，是不是想惹警察盯著我們？」

雄霸給他說中要害，本來已生得瘦小的他，不自覺縮一下肩，「好啦，我會用馬賽克效果把校徽打格的了。」

諸葛囧聽見這話，更不滿地瞪著他，「認不出學校背景啊？你上一條短片，連學校對面的公園也能清楚見到！」

雄霸無言以對，Angel乘勢嘲笑，「哎呀，原來有人拍短片給瞎子看！他該拿諾貝爾人道獎！」

雄霸碰了一鼻子灰，又不能反駁甚麼，只能低下頭，沒趣地用薯條沾著茄醬，然後狠狠啃掉。

諸葛囧轉向高顴骨，讚賞他說：「你這個月的表現非常好。」

高顴骨掀出一個似笑非笑的表情，他盯盯仰光，彷彿有意無意地說：「也得看對手是誰。」

雄霸和Angel一同把視線投向仰光，兩人深知高顴骨一向不歡迎仰光加入。而隨著初次加盟的仰光，業績已一下子躍升至第二位，兩人的關係更勢成水火。

仰光也不是笨人，為了明哲保身，他每次給高顴骨叼著不放時，也會採取迴避態度。他站起來，「我去一去洗手間。」說著便離座。

待仰光步遠，諸葛囧才對高顴骨說：「仰光是同門，你應該對他客氣一點。」

高顴骨見諸葛囧當著雄霸和Angel面前說出這話，他也坦白地說：「怎樣了，我收警告信了嗎？」

諸葛囧愣了半晌，安撫他說：「不，只是提醒你一下。」

「他是被金希那邊踢走的，走投無路才靠攏我們，我們需要賣這種叛徒的賬？」高顴骨把視線掃向雄霸和Angel，兩人難以開口表態，變相成了無聲支持。

正當諸葛囧想說甚麼來緩和緊張的氣氛，突然之間，一個捧著餐盤的中年胖子走向眾人，一屁股坐到他們的六人大桌旁。快餐店內觸目皆是空位，他偏偏要坐在這裡，教他們莫名其妙，就連為首的諸葛囧，一下子也不懂反應。

雄霸看到胖子吃的是兒童套餐，除了漢堡包和橙汁，更有贈送的玩具，他認定對方是個智障人士，便沒好氣地說：「傻子，整間餐廳都是空位，你滾開啦！去廁所門口坐啊，那邊空氣比較好！」

胖子拿起漢堡包大口大口地咬，吃得滿嘴也是茄醬，他看看眾人，說：

「你們在開會嗎？繼續啊！」

Angel哈哈大笑，繼續針對雄霸：「雄霸，這人是你親生父親吧？不要害羞，你倆只管好好相認啊！」

雄霸見胖子賴著不走，他突然發難，站了起來，正想繞到胖子那邊，把他揍成人肉蛋漢堡。胖子卻揚揚手，做了一個叫雄霸坐下的手勢。他邊嚼著包子邊問各人：「難道我不能參與你們的會議嗎？」

諸葛囧小心地問：「先生，請問你是——？」

胖子隨口說：「大家那麼熟，不要稱呼我先生了，你們可叫我『水壩』。」

幾個人頓時鴉雀無聲，雄霸率先狂笑起來，大聲說：「如果你是水壩，我就是黎加拉瓜大瀑——」

「雄霸！」剛從洗手間回來的仰光打斷雄霸的話，他用手指朝後一指，以眼神示意雄霸注意。

雄霸循著他指的方向一看，只見不知何時開始，兩個身穿黑色西裝的男人，已經把六人桌這角落的範圍包抄封鎖。一個男人盯向外圍，不讓任何人走近，另一個男人則盯著雄霸的舉動，雙眼閃出冷光。他把右手手臂一直插在西裝袋內，教人毫不懷疑他會隨時拔出一柄手槍。

雄霸的話說到一半，霎時無法再接下去，他臉色灰白，雙腳一軟便跌坐回椅子上，像見鬼般看著胖子，用極度顫抖的聲音說：「你真是水壩！」

水壩高興地笑，「你叫雄霸嗎？」

「呃。」雄霸的喉頭像塞了一隻青蛙。

「我們的名字裡也有個『壩』字，會給人混淆的，那不大好吧？」

「呃呃，我也不敢高攀！」他當然不敢指出，他們一個是「壩」，另一個

是「霸」。

「一如你所說，既然我真的叫水壩，以後大家就叫你黎加拉瓜大瀑布，好不好？」

一分鐘前，他還叫這位傳奇人物做「傻子」呢，他可不想今天橫屍街頭，只得尷尬地說聲好。

水壩看看眾人，彷彿很有興趣地問：「對啊，誰是仰光？」

站在後面的仰光緊張地說：「我是仰光。」

水壩放下手裡的漢堡包，用手背隨便抹了抹嘴，走到仰光面前，把他擁進懷內，一邊說：「我可以順利解決金日昇，全權接收他的地盤，全因有你的幫助，你幹得實在太好了！」仰光僵立原地，給水壩的熱情和大肚子嚇呆，不知該怎樣反應。

水壩放開他，對他說：「你要甚麼獎勵？儘管提出啊！」

仰光搖搖頭，水壩卻點點頭說：「這樣吧，為了表示我的謝意，我以私人名義給你一宗大買賣，讓你好好賺一筆。」仰光想拒絕，水壩已用力搭著他肩膊，下了決定地說：「你千萬別辜負我的期望啊！」

坐在一旁給冷落的高顴骨聽到這些話，顯得一臉沒趣。

接著，水壩一邊吃著他的開心樂園餐，一邊聽諸葛囧匯報本月買賣銷情。突然，一陣《上海灘》的歌聲響起：「浪奔——浪流——萬里滔滔江水永不休——」水壩截停諸葛囧，從他的夏威夷短褲裡掏出一部手機來接聽，雄霸認出那是四年前已停產的「無得撈啦」陳舊手機。

水壩用哄小朋友的溫柔聲音，跟來電者談了幾句，說出自己的所在才掛線。然後，他對大家說：「各位，妹妹約我去玩，今日只好到此為止。下次由我請客……我有很多麥當勞禮券。」

水壩站起身離開，雄霸突然像小學生般舉手。水壩著他發問，他緊張地

問：「水壩，你是傳說中的人物，我可以跟你合照一幅嗎？」

「嗯，當然沒問題！」水壩揚手喚了一名黑西裝保鏢過來，雄霸把自己的手機交給他，水壩親切地搭著雄霸的肩來合照，雄霸也像見到偶像的小粉絲，興奮得擺出港女最愛的V字手勢。

黑西裝保鏢木無表情地替兩人拍照後，雄霸正想從他手上取回手機，保鏢卻把手機擲到地上，一隻黑皮鞋把它踏碎，就這樣走開，繼續守回他站崗的位置。

雄霸看著地上的手機殘骸發呆，水壩嘆口氣說：「黎加拉瓜大瀑布，太抱歉啦！我的保鏢有點嚴肅，他們不希望我的樣貌曝光啊！」

雄霸欲哭無淚地說：「沒關係，沒關係。」

這時候，店外傳來一陣汽車響號，水壩笑了，「我妹妹來接我啦，大家再見！」他揚揚手中隨餐附送的玩具向大家道別，眾人也站起來，恭恭敬敬地送

走他。

水壩在兩個保鏢一前一後掩護下離開，一輛全粉紅色的電單車正在門外等候。車上的女子脫下頭盔，是一位長髮飄揚的美少女，她跟水壩說了幾句，水壩把手中的玩具遞給她，她露出令人印象深刻的笑容。

跟著，美少女戴回頭盔，電單車閃電出發，水壩則登上一輛龐大的黑色七人車，緊隨其後。

眾人呆看著門外，好一陣子相對無語，誰也沒預料會跟這位傳說中的人物見面，當然，更無法想像水壩竟像個肉檔小販！

一個刮颱風的清晨，金希比平日更早起床，下床後做的第一件事，並非洗臉刷牙，而是打開電視機，收看風暴消息。

她相信，絕大部分學生也會如此，期望看到前一晚的三號風球，已搖身變

了八號風球，意外獲得一天額外假期。可是，根據新聞報道，外面刮著的依然是三號風球，全港中小學照常上課。

金希「噓」了一聲，興奮的心情一下子轉為低落，她在想要不要多睡一會，但睡意早已全消。看看外面風雨飄搖，天色活像傍晚般陰沉，金希心知市面交通在風球下很快便會變得一團糟，所以，她寧願換過校服，趕快出門。

返回聖本心書院，她如常到食物部買早餐，由於操場是露天的，所有學生皆走到食物部避雨，裡面擠得水洩不通。金希受不了嘈吵得像菜市場的環境，連氧氣也似乎已給眾人吸光，她決定走到自己的秘密花園避難。

她繞過學校的後花園，抄過只有極少數學生知道的捷徑，順利溜進禮堂。當沿著後台通道走上舞台，她瞧見仰光坐在那裡——每次周會時霍校長都會坐的椅子——金希心裡的驚訝只維持了短短兩秒，直至她記起，原來是她教曉仰光到這裡的。

坐在禮台教師席位上的仰光，正面對著空蕩蕩的台下在吃熱狗，彷彿正沉思，一點也沒留意從後台走出來的金希。她曾經有一刻想過掉頭而去，不要跟仰光有相遇的機會，但她很快便打消那念頭，只因她覺得，她根本沒必要避開他。

——試問，有沒有一頭貓會躲開老鼠？

金希坐到舞台左邊的鋼琴前，跟坐在右邊的仰光相隔半個舞台的距離。一手拿著熱狗、一手拿著咖啡的金希，正想把咖啡放在鋼琴琴蓋上，窗外霍地傳來一下非常巨大的雷聲，讓因乍見仰光而驚魂未定的她，結結實實地嚇了一跳。她一脫手，整罐咖啡掉在鋼琴上，啡色液體傾倒而出，順著流線型的鋼琴邊滴落地板上。

本來渾然不覺金希存在的仰光，此刻亦給震耳欲聾的雷聲驚醒。他側過頭，看到金希那邊的情況，沒考慮甚麼便跑了過去。金希在仰光面前丟臉，本

已窘態畢露，她欲阻止他上前，慍怒地說：「我不用你幫！」

仰光簡單解釋：「是鋼琴。」他急忙從校褸內掏出一包紙巾，把所有紙巾抽出來，以最快速度蓋在鋼琴邊的細縫上，幾張薄薄的紙巾馬上全濕，染了一片淺棕色，卻不足以阻止咖啡繼續滲漏。

他遂脫下校褸，打開琴蓋，把校褸當作抹布，迅速抹乾黑白琴鍵上的咖啡漬，他慶幸還來得及。

金希只是眼巴巴看著仰光的連串動作，她注意到他看著鋼琴的模樣，一臉盡是憐惜。她內心有點愧疚，但仍裝作若無其事地問：「鋼琴不能入水？」

「鋼琴內部以木材和弦線為主，木材遇水會發脹，弦線便會生銹，令音色不復再。嚴重的話，裡面會發霉腐爛，整台鋼琴便要報銷。」

金希從不知道那種嚴重性，她倏地想起，當她第一次帶仰光溜進禮堂，她把飲品放在鋼琴上，仰光露出欲語還休的表情，如今這一刻，她終於明白他當

日是有話沒說。

雖然錯在自己，但她感覺自己處於下風，仍是不悅地說：「鋼琴是學校的，報銷了，他們自會另買一台。」

仰光瞅她一眼，語氣中不帶責難，只是老老實實地告訴她：「沒有一台鋼琴與另一台的音色完全相同，換言之，每一台也是獨一無二的。」

金希找不到反駁的話。這時候，她才留意到他臂上給割傷之處仍裏著紗布，她轉過話題，不帶任何感情地問：「手臂怎樣？」

「小意思，當然沒事。」仰光揮動一下前臂，向她展示自己動作如常。

金希看見仰光拿著濕漉漉的校褸，「賠你校服。」

「不用了，我家的傭人會洗。」仰光乾笑一下，婉言拒絕：「如果有任何人搶去她的工作，她會不高興。」

每件事也給仰光回絕，教金希心裡非常不爽。

就在這一刻，有個校工打開禮堂大門，正陷入僵持氣氛的金希和仰光，想逃走也已慢了一步，三人打個照面。校工遠遠地喊：「學生是嚴禁溜進禮堂的，你們怎樣進來？」

仰光快速回答：「我們是戲劇學會的，趁著課餘空檔來排練。」

校工只想息事寧人，便下逐客令：「天文台剛改掛八號風球，學校停課，你們快回家！」

仰光故意墮後，讓金希先走。她離開學校後，狼狽地撐著雨傘，站在巴士站前候車。八號風球下，一個等候的乘客也沒有，她不知道巴士是否已經停駛，在這個空曠當風的車站，她有隨時隨地被瘋狂的怒風捲走的感覺。

一輛計程車停在她面前，仰光在車廂內打開車門，「我送妳一程，快進來。」

金希看著車內的仰光，心裡矛盾了兩秒鐘，遠看路上所剩無幾的車子，她

還是趕緊鑽進車廂。

仰光請司機先改往深水埗。接下來的兩分鐘內，本來只是微雨狂風的天空，突然風雲驟變，下起洩洪般的超級暴雨，甚至連窗外的景物都被雨幕籠罩得朦朧不清。此時此刻，金希不禁暗自慶幸。

附近道路的溝渠淤塞，馬路迅速積水，弄至水窪處處，司機恐怕計程車會拋錨，只得以極緩慢的速度向前駛。兩人在密封的車廂裡，各緊靠一邊車門而坐，各自把臉側向自己那邊的車窗，彼此中間彷彿隔著一個隱形人。

仰光忽然打了個噴嚏，金希用眼尾瞄他一眼，他身上只穿著單薄的白恤衫，手裡抱著剛才弄污了的校褸。他大概受不了車廂的冷氣，金希也佯裝抽一下鼻子，請司機把冷氣溫度調高。

仰光把一切看進眼裡，剛才淋了一點雨的他身子雖冷，心頭卻很溫暖。

「對了，詹仰光，我有件事要問你。」

仰光給突然開口的金希嚇一跳。剛才計程車路經巴士站，他偶然見到呆站雨中的金希，沒法忍受自己不顧而去，就只得載她一程。他沒料到兩人會在車裡交談，當然，這場八號風球更不可能在他計劃之內。

他久久才回應：「問吧。」他完全沒法猜想她會問甚麼。

「既然虎彪的事與你無關，就當我誤會了你害死他，你又為何默認？」

仰光不禁無語。

虎彪懷疑服食過量毒品後打傷老師，繼而衝出馬路意外身亡，他的真正死因，在翌日被報紙報道出來。虎彪其實患有思覺失調，身為鄰座的仰光，一早已得悉他的病情，但虎彪請求他隱瞞，他也就照辦。可是，原來虎彪後來以為自己的病情已受控制，私下停止服藥，最終引致更嚴重的病發。

那個早上，虎彪就是由於沒有定時服藥而發作，喪失常性，幹出傷害老師的事，他實在無法原諒自己，所以才衝了出馬路。

「怎樣了？」金希轉過臉，逼視著他，「我真想知道，你為何不否認？」

仰光明知沒法子迴避，他也轉頭看她，語氣強硬地反問：「假如，我不是妳心目中所想的我，妳會失望嗎？」

金希凝視著他，緩緩地說：「我對你再無期望，我只希望自己能夠明辨是非。」

仰光板著臉說：「那麼，相信妳自己的判斷吧。」

「你不替自己辯護？」

仰光簡單地說：「這裡不是法庭，沒有必要了。」

金希咬咬牙，心裡又一次失望。但正如她自己所言，難道她對他尚有期望嗎？可惜，騙不過自己的是，這種失望的情緒，正好證實她對他還有期望，縱使只是微乎其微也好，她真的對他還存著星火的期望。

咫尺之外的仰光，是害死她弟弟的兇手，她討厭那個愛恨不分明的自己。

她把頭別向車窗，外面的雨勢正在減弱，她卻感到心裡在暴動。窗外透出熟悉的景物，車子已駛到深水埗。

金希明知彼此已經無話可說。正如她應該明辨是非，而仰光卻放棄了辯護，在恩斷義絕的決裂之前，金希說了她必須說的話：「我只想提醒你一句：在你那黨裡，有人希望你死，你要小心。」

仰光默然一刻，掀了掀嘴角，很不認真地笑了笑，「不管妳是否存心分化我們，抑或只是道聽途說，也感謝妳的提醒。」

這時候，計程車停在金希住的唐樓前，金希深深看他一眼，留下最後一句：「不用客氣，我只是不希望欠你人情，再見。」

仰光也用心看著她，向她笑了一下，「再見。」

金希關上車門，立即衝上唐樓的樓梯。仰光目不轉睛地看著她跑上樓梯的背影，車子慢慢開行，他回過頭，從車尾的玻璃看她，直至到了一個看不見的

距離為止。

金希三步併兩步地衝上樓梯，想盡快把仰光和關於他的一切拋諸腦後。她隱晦地提醒仰光，知悉他行動的人欲要加害他，就是對他最後的補償：關於他替她取回日昇的獎牌，關於他為她而受傷，關於他拯救了鋼琴，也關於他載她一程，與及兩人過去數不清的種種……

從這一刻開始，金希和詹仰光真是各不拖欠。她不必再存有任何惻隱，可以安心告發他，就像舉報任何一個她不認識的毒販一樣。

我們都想清算大家的過去，
然而，這筆賬該從何算起呢？
錢財尚可攤分，
連一本書也可撕成兩半，
可我付出過的感情呢？
妳的笑聲呢？
那些無聲的思念呢？
還有我們一早擬定好的、
攜手走進世界末日之前那每一天的未來呢……

第五章

只有不斷發生悲劇，才會突顯愛情的偉大

天下太平以後，
縱使歡樂地擁抱著，
我們卻為了無事發生而感到不安。
說來可笑，
但當漫天子彈橫飛，
我們要顧及的只是自身安危，
為了求存而把對周遭的需求降至最低，
只要有對方伴在身旁便感滿足。
那真是值得痛恨又懷念的日子……

Janice的床上短片在聖本心書院流傳了好一陣子，使她淪為被訕笑的對象，但熙一直在她身邊，與她聯手對抗，加上每天也充滿新鮮事，當這事被視作老掉牙的舊聞，大家便提也不想提，還不到一個月，一切便已漸漸平息。

當事件似乎已告一段落，Janice不禁暗暗鬆口氣。她真替自己慶幸，也為一直陪伴自己度過這段日子的熙而驕傲。她清楚知道，萬一熙表現得稍為猶豫，她便會完全失去自信，在周遭的恥笑聲和奇異目光下，真不知自己會幹出甚麼傻事來。

八號風球過後，學校恢復正常上課，Janice和熙坐在學校泳池的看台上吃早餐。陽光透過天窗照耀在水面，讓四周閃著魚鱗似的波光。熙對她說：「妳看，我不是說過嗎？任何大事總有平息的一天，我們不是捱過了那些苦日子嗎？」

Janice點點頭。她當然清楚記得，約一個月前，那段床上短片曝光之時，她幾乎精神崩潰，熙卻堅定地說：「無論如何難過，我們都要活下去。既然如此，不用管他人的死活，我們只須為自己好好地活就好。」她被熙的話說服，鼓起最大勇氣，兩人就這樣渡過了最難過的一關。

Janice的心情也好像除下八號風球後的晴朗天，有說不出的輕鬆，但她老實告訴熙：「雖然總算雨過天青，但我卻有點失落啊！」

「為甚麼？」熙好奇地看她。

「我應該是那種性格犯賤的女孩吧。」Janice說：「無論一對情人的感情如何糟糕，只要遇上厄運，彼此就會不計前嫌、也不顧後果地安撫對方，互相緊靠。可是，當風調雨順了，我便會開始胡思亂想，擔心何時會失去對方？」

「這樣說來，妳很享受當悲劇的女主角。」熙苦笑一下，「只有不斷發生悲劇，才會突顯愛情的偉大。否則，妳會覺得情節太平淡了吧？」

Janice自嘲地笑，「我很變態吧？」

「不，妳只是沒安全感。」熙搖搖頭。

「熙，你呢？」Janice滿有興趣地問：「我猜你喜歡一段安穩的感情，是吧？」

熙聳聳肩，連他也不知道自己真正的想法。

就在此際，游泳館的大門被大力推開，引起兩人注意。門外是氣急敗壞的旺財，他的視線鎖定看台上的Janice，彷彿有甚麼急事要找她，但見熙與她同在，神情又猶豫不決。

Janice揚手叫旺財過來，旺財腳步沉重，神色也同樣沉重。她不避嫌疑地問他甚麼事，旺財唯唯諾諾，終於把拿在手中的報紙遞給他們。Janice看到港聞版內頁有一段佔約六分一版面的報道，標題是：「Band 3學校女生疑援交，床上短片網上流出」。

Janice看著那兩張從短片剪輯出來的照片，雖然報紙已「厚道」地用馬賽克效果遮掩女主角雙眼和裸體，但Janice仍是清晰地認出自己，臉色頓時鐵青。

旺財盛怒痛斥：「這是甚麼爛報紙？明知刊出這段新聞後，全香港人便會刻意找尋這短片，簡直是在受害人的傷口上灑鹽！他們全是為了銷量而不擇手段的賤種！」

Janice佯裝若無其事，「我沒事，不用擔心。」

「妳只要說一聲，我馬上叫祖母設法封鎖這段新聞！」旺財努力想辦法，「她可以聘黑客入侵報紙網站……甚至可以買下整間報館！」

「旺財，謝謝你！但真的不用了。既然消息已經被廣泛報道，就算你買下這間報館，也不能杜絕短片繼續從別的途徑流傳開去。」她輕聲說：「況且，這也是我預計中的事，我承受得來。」

「承受？為何要妳承受這些？」旺財仍是憤憤不平，「妳是受害人啊！為

何反而變成被公審的罪犯？」

旺財激動地大吵大鬧，Janice反過來好言相勸，坐在身邊的熙卻一直一言不發。

就在高銷量的報紙刊登了Janice援交新聞那天，網絡上每一個討論區都在為此事議論紛紛，很多網友徵求那段短片，最後，誰也總有辦法找到一個拷貝。更甚的是，神通廣大的網友們把Janice的身分「大起底」，無論她讀哪家學校、家住哪個地區、哪幢大廈、遠至小時候近至現在的照片，還有援交的市價也一覽無遺。本來只是在學校內流傳的笑話，正式演變成全港市民關心的熱話。

在Facebook裡出現了「反聖X心援交女生Janice聯盟」，短短一天已有超過兩萬個網友加入，連帶整家聖本心書院也捱罵。有網友尖酸刻薄地留言，說要是誰想幫補家計，最好到這家妓寨中學讀書……這只是冰山一角，類似的留言還有超過數千則。

在學校裡，Janice變成所有女生的公敵，男生則對她投以不懷好意的目光。雖然如此，她卻像過去一個月般，一直保持克制。

金希、旺財和熙怕她出事，整天陪伴在她身旁。下課時，當他們幾個步出校門之際，不知哪裡冒出幾個記者，他們突然一擁而上，有人提著攝錄器材，有人拿著專業相機，全都對準Janice狂拍。Janice只是一直雙手掩臉，想在金希和旺財的保護下衝出重圍，但聚集的記者愈來愈多，成了一個圈子，把他們圍在中間，不讓他們離開。

強忍多時的旺財實在忍無可忍，他咆哮一聲，將一個幾乎撞到Janice鼻尖的米高峰用力揮開。他見到正在閃光的照相機，一手便搶過來，把它砸到地上。他大聲喝罵：「要是你家女兒遇上這種事，你會怎樣？你女友遇上這事又如何？你們拿同情心去換薪金？小心有報應！」那個給砸破相機的男記者不忿地推撞旺財，旺財也奉陪到底，跟他扭打成一團。

與此同時，金希眼見旺財發難，馬上豁了出去，用書包拍打記者，讓記者們連退幾步。

Janice見到奮不顧身地竭力維護自己的金希和旺財，感動得雙眼通紅。而一直冷冷地站在三人後面、彷彿冷眼旁觀的熙，趁著混亂之間，截了一輛計程車，把Janice拉上車便迅速逃離現場。

車子行駛了半條街，Janice終於想得一清二楚，她對熙說：「我要下車。」

熙用責怪的語氣說：「妳有必要回去繼續把事情鬧大嗎？」

「停車！」她轉而向司機怒吼，司機給她弄得不知如何是好。她見要求不獲理會，於是強行打開車門，司機連忙在路中心停車，她二話不說便罔顧安危地跳下車，急步折返學校。

熙在車廂內惱怒了幾秒鐘，只得付錢下車。他追著前面的Janice，大聲說：「妳到底怎樣了？人家採訪妳只是工作所需，妳害他們被打不夠，還要回去吶

喊助威嗎？」

「我就是知道這是自己惹的麻煩，才不願意連累金希和旺財！」Jancie沒有停步，她一邊走，一邊背著熙說：「你這種冷漠的性格，不會明白這件事！況且，我在你心目中，根本錯得無可救藥吧？你剛才表現得若無其事，只是害怕我令你尷尬吧？」

「我只是希望，妳不要再介意已發生的事。況且，我根本就不介懷啊！他們要報道，就讓他們報道個夠好了！」熙咬咬牙，愈說愈生氣：「如果妳真會令我尷尬，我在一個月前便已對妳撒手不管！」

Janice倏地停下腳步，她轉過頭，凝視著熙，一字一字地說：「熙，你到底並不是真心喜歡我，你只是給我緊緊纏住，才無法不理會我吧？」

熙也被迫停下腳步，被迫接受她的逼視。他不懂回答她的問題。

「那麼，我問你——」她踏前一步，在一個幾乎鼻尖貼鼻尖的距離，問了

一個一直不敢問熙的問題：「假如，那段床上短片的主角是尤敏老師，你會怎樣？」

熙感覺自己避無可避，恍如給她看穿了深不見底的心事。

「你應該介懷，而你也會介懷得馬上離開那個女人！」

熙聽到Janice真實而殘忍的話，整個人發呆。

Janice雙眼紅了一圈，眼眶噙滿淚水地告訴他：「若你不介懷，只因你不夠愛我。」

語畢，Janice轉身揚長而去，熙沒法確定她有沒有流下眼淚。

他只知道，他已經沒有繼續追上前的動力。

一星期前的晚上，失落的旺財回到祖母的億元大宅，祖母沒問他回來的原因，亦沒問他跟珠珠發生何事。她甚麼也沒過問，只當旺財剛從外地度假回來

似的歡迎他而已。

同樣地，旺財也沒追問祖母收買珠珠那件事。

想深一層，祖母的做法是明智而可以理解的，若是不必花費大量精神、時間，單用金錢便能解決的問題，為何不馬上解決？這就是有錢人的優勢。

至於，祖母用錢收買珠珠，在她手上贖回自己的孫兒，這個做法是否卑鄙下流，旺財卻沒有定論。那就正如，萬一他不幸被匪徒綁架了，若祖母有不必驚動警方、交付贖金後匪徒自會放人的把握，祖母亦一定會那樣做。

雖說每個人都有一個隱藏的身價，但如果珠珠不為所動，任憑祖母怎樣壓迫也不會成功。所以，讓旺財傷透心的，並非自願交出贖款的祖母，而是將自己貶為一個綁匪，欣然接受贖金的珠珠。

旺財回家後的周日，祖母要求他陪她出外走走。悶悶不樂的旺財考慮一下，也就欣然從命。

每天下課後，旺財便馬上回家，整整一個星期，他大部分時間都是足不出戶，窩在自己閣樓的房間。當他習慣了在一個四百呎不到的陋室走動，如今七千呎的兩層別墅也就顯得太大；當他看慣了廿一吋的電視熒幕，他房間內的四十二吋16:9闊熒幕反而令他頭昏腦脹。

一如祖母對他的承諾，她已經不再跟年輕男子來往，大屋裡卻彷彿少了很多生氣。旺財知道祖母寂寞，所以，他願意充當祖母身邊那個年輕男子，雖然他自問樣貌還是遜了點啦。

旺財滿以為祖母會帶他去甚麼高級商場、酒店餐廳，但大大出乎他意料的是，司機竟把金色勞斯萊斯停在旺角鬧市中心。祖母對司機說：「你就放半天假，陪陪孫女吧，我等一下會乘計程車回家。」

司機神情一愣，「老太，這不大好吧。」

「今天是我倆嫲孫的家庭日。」祖母說：「我知道你擔心甚麼，我會注意

安全。況且，有小財照顧我，不用怕。」

司機見祖母這樣堅持，也只好順從。當勞斯萊斯駛走後，祖母問：「好了，小財，你今天要帶祖母到處逛逛。」

「沒問題，我知道哪些商場比較適合妳。」他費煞思量，隱約記得附近有幾家百貨公司，有售賣老人家的衣飾。

「不，只要依你平時逛街吃飯的路徑就好了。」

旺財瞪大眼看她，「恐怕會嚇壞妳啊！」

「恐怕這個世界再沒甚麼能嚇壞我了。」

旺財認清祖母真心想玩的念頭，笑著附和：「也好，妳住在港島，久久也不來九龍一遍，免得妳仍以為香港只有帆船、先施百貨、新光戲院和工展會，讓我充當導遊，帶妳認識一下新事物吧。」

對旺角一帶瞭如指掌的旺財，一直攙扶雙腿關節不大好、撐著拐杖的祖

母，兩人在這個事事急速、全香港最熱鬧的心臟地帶緩慢地閒逛。他特意帶她去了先施百貨結業後改成專售手機的先達商場、樓高幾層的百老匯電器行，又到俗稱「波鞋街」的花園街看最新款的球鞋，轉進「女人街」看兩邊的廉價攤檔，然後到信和中心逛「格子店」，再乘搭商場升降機到隱蔽的樓上二手DVD店。祖母忍不住買了幾套美國劇集，旺財卻對她買的《豪門恩怨》、《老友記》等聞所未聞。

兩人逛累了，走到朗豪坊的美食廣場，旺財找了一家烤肉店，自己動手做燒牛肉。他切了一塊牛肉給祖母，問：「旺角日新月異，跟妳那個年代完全不同吧？」

「雖然時代轉變了，售賣的貨品種類也有差別，但本質卻一樣。」祖母說：「這些商業區，始終萬變不離其宗，以吸引遊人為主啊。」

「最可笑的是，滿街都是電器店，但一個人到底可以買多少部電話和

netbook呢？」

「他們鎖定的目標顧客，是一眾願意大灑金錢的大陸同胞。」祖母說：「剛才聽到每名售貨員的普通話也琅琅上口，對大陸遊客也特別招呼殷勤，就知道這是大勢所趨，我們香港人的生意只佔皮毛。」

旺財點頭笑了，祖母就是有那一份入微的觀察力。相比同年紀的老人家，她更有接受新事物的能耐。

「小財，你回家後整整一個星期，今天才首次露出笑容。」祖母一臉祥和地看他，說的每個字也有真誠的力量：「每天見到你把自己困在房裡，祖母便感到心痛。」

旺財頓時明白，原來祖母突然提議要出來走走，只是鼓勵他踏出家門而已。

「我沒事。」旺財明知自己說得軟弱無力，老實地再補充一句：「真的

啦……我只是一下子無法適應。」

「你是無法適應回家，抑或無法適應沒有珠珠的生活？」

旺財靜默半晌，他撐起精神，避重就輕地說：「無論如何，我會儘快習慣。」

「作為一個稱職的祖母，我希望的不止如此。」她眼神銳利地說：「不快樂也是一種習慣，當你一旦習慣了不快樂，你便會忘記怎樣才能快樂。」

旺財只是苦笑一下。

從高聳的朗豪坊離開後，兩人走到最繁忙的西洋菜街。祖母看著面前被劃成行人專用區的馬路，突然說：「好了，小財，你就陪我到這裡為止吧。」

「嗯？妳累了吧，我們一起回家。」

「將來的路，由你決定怎樣走。」祖母對他笑了笑，「這是年輕人的世界，像我這種老人家，在這裡流連忘返，只會妨礙你們的步伐。」

「祖母——」旺財一下子不懂反應，祖母的話中藏著很多意思。

「雖然，我不知道你和珠珠之間發生甚麼事，但我可以肯定一點，就是我寫給她的那張支票，一直沒兑現。因此，你和珠珠之間，一定是有甚麼誤會。我不相信她是壞女孩，我看人的能力一向準確。」祖母提起拐杖，向前面的路一指，「否則，她一早已是百萬富翁，為何還要辛苦地幹活？」

旺財循著祖母的拐杖看去，驀然發現身穿電訊公司制服的珠珠，正在「易拉架」前招攬顧客。但任憑她如何努力，只遭到一次又一次的拒絕，有些途人不客氣，更大力推開她遞上前的宣傳資料，她來不及難堪和難過，已經堆起笑容走向另一個路人。

旺財親眼目睹這一幕，震驚得張口結舌，完全無法回應祖母的問題。

對啊，假如珠珠是個百萬富翁，她又何必在這裡陪笑臉，殘忍點説，甚至是自取其辱？

「好了，我先回家。」祖母向他和藹地笑，「祖母想獨自乘一趟，幾乎一輩子也沒乘過的地鐵。」

旺財幾乎想大哭一場，無論祖母從前如何無條件地給予他多少優質生活，他一直只懂不斷恨怨。可是，到了這麼一刻，他的確深深感受到那份屬於親人之間的暖意。

他抽一抽鼻子，為了沖淡這種情緒，他一本正經地說：「祖母，妳居然不知道，香港已經沒地鐵了？」

任憑祖母歷盡風浪，也不得不瞪大雙眼。

「它改了名，叫港鐵。」

祖母作勢要打旺財的頭，旺財縮頭縮腦地笑著避開。

「回家後致電給我，免我掛心，好嗎？」他這次可是很認真的。

祖母笑著點頭，旺財便指引她去港鐵站的方向。旺財一直凝視著她有點蹣

跚的身影，心裡浮起他一直拖欠祖母的一句「謝謝！」。說實在，他也擔心祖母的安全，但她看來有種自由自在的快樂，他就不忍心阻止了。而祖母對他的放任，大概也是不過如此。

當祖母完全隱入人潮中，旺財才轉身面向珠珠。他心裡知道，這是他最後一次機會了。

他慢慢走近珠珠，剛被一個女途人拒絕的她正好轉過身子，還沒認真看清眼前人，已經機械式地說：「先生，我們公司有平價的室內和戶外無限寬頻計劃——」當她抬起頭，看清面前的是旺財，面色立即沉下來。

旺財深深凝視著她，平靜地說：「請說下去，我對這個計劃很有興趣。」

珠珠別過頭，向另一個身穿制服的少年說：「小任，這位先生想詳細了解一下我們的計劃，由你來招呼他好嗎？」

「沒問題！馬上到！」那個長得短小精悍的小任興奮地跑過來，拉著旺

財，嘩啦嘩啦地說：「先生，看你一臉精明，就知道你是懂得選擇的客戶，我們『妄想行』有多個月費計劃，總有一款合你心意——」

旺財好不容易才打斷他的話，轉向珠珠，「珠珠，我可以問妳——」

珠珠對他的話置若罔聞，她正欲攔住一對匆忙路過的情侶，故意走得遠遠。

小任插口說：「先生，你有問題儘管問我，我也可以解答啊！」

旺財見珠珠愈走愈遠，他嘆口氣，對那個看來像頑童的小任說：「你叫小任嗎？」

「對啊，正所謂『天降大任於斯人』，我任務較少，所以別人稱我為『小任』。」

「小任，麻煩你替我向珠珠轉達一句話，我給你十單生意。」

「十單生意？不要嚇我！那是我一個星期的總和啊！」小任瞪大眼睛，難

以置信地說：「先生，你需要我轉達多幾句嗎？……就算有一本長篇小說般的長度也無妨啊！」

「不，一句便夠……一句便夠了。」旺財咬咬牙，把那句話說出來：「我會一直在公公的靈前守候妳。」

小任連聲點頭，旺財再看看相隔半條街的珠珠，然後慢慢轉身，走入人群中。

如果不說出來的比說出來的還要多，
即表示那些話還是不要說出來好。
那是由於，
最難過的莫過於有口難言。
憋在心頭的話，
一定才是妳真正想講的話語……

第六章

沒有可衡量感情的秤，我們都沒法計算清楚誰比誰愛誰

由於沒有一個可衡量感情的秤，
我們都沒法計算清楚誰比誰愛誰，
又或許，
最重要的不是誰付出的愛較多，
對方也並非真正的對手。
要不就直接跟上天較勁，
我倆要戰勝它給予的
很難相遇、很快別離的時間……

距離收到上一個匿名手機短訊後一周，乘車上學途中，金希放在書包裡的手機再度發出接收短訊的聲音，她就知道是那個向她通風報信的神秘人。

只因旺財、Janice和熙等朋友甚少給她寫短訊，有甚麼也會直接致電給她。而曾經傳最多短訊給她的仰光，如今已不會這樣做了。

由於有這種預感，金希的動作反而緩慢下來。她明知自己不可能永遠對那個短訊視而不見，但她卻想延遲面對它。過了足足五分鐘，她才掏出手機查看。

「今日傍晚六時，詹仰光會在九龍公園的百鳥苑進行交易。」

金希合上對摺的手機，抽了一口涼氣。她心裡又浮現起這個告密短訊，既然真正得悉了，也沒法欺騙自己從沒看過。

下了車，走在回校的路上，她深深陷入迷惑的邊緣。在之前的日子，她斬釘截鐵地答應自己，當這一個短訊到臨時，她便會為被害的弟弟報復，可是，

當正式面對的這一刻，她卻不知如何是好。

正在困惑之際，一名男生迎面走來，他穿著一套金希很熟悉的校服，讓她不禁心跳加速。男生是華人書院的學生，身高和樣貌跟日昇有幾分相像。金希目不轉睛地凝望著他，男生也發現了這女生對自己的注視，但他大概是害羞吧，不敢與她正眼對望，只把臉別開去。

兩人就這樣擦身而過，一陣心如刀割的感覺傳遍金希全身，她已經再無法看到日昇穿起這套帥氣的校服了。這個相依為命的弟弟，已經化成一團灰，永遠遠離開她。

想到這裡，金希用力一咬牙。她跟仰光之間早已恩斷義絕，遂維持原有決定，在街上找了一個電話亭，致電九九九，以匿名方式舉報這宗毒品交易。

當接聽電話的警務人員詢問她的詳細資料，她只是避而不答：「我只是一個得到可靠線報的好市民，我能夠做的亦止於此。至於阻止罪案發生，就是

你們警方的職責了。」她隨即掛線，儘快離開電話亭，不讓警方有找到她的機會。

終於將心中所想真正實行，金希整個人感到一陣鬆弛下來的喜悅，但臉上卻無法展現一絲笑容。

如此一整天，在同一個課室裡，金希實在無法集中精神上課，只是用看待即將行刑的死囚般的眼神，不斷偷看仰光。仰光身旁本屬虎彪的座位已空置了，她只要稍為側過臉便可以清楚看到他。而正專心聽課的仰光，對於自己即將身陷囹圄，卻顯得懵然不知。

下課時，金希滿以為自己會依時到達仰光交易的地點，等候親眼見證他落網。出乎她意料的是，原來她根本沒那份心情，又或者說，她已經等同把他送死了，實在用不著親自操刀。

當她走出學校，看看一直設為震動模式的手機，才發覺自己錯過了電腦維

修公司的來電。她回電，職員說那部電腦主機已修理好，她於是在回家途上順道取回。

當職員給她試機時，她好奇詢問發生何事。職員告訴她，這跟電腦中毒或損壞無關，是那個「昇」的使用者把裡面的資料全部刪除，他們已想盡辦法把資料還原，修復的程度約有七成。

金希突然想起甚麼，說：「有沒有辦法查出資料被刪除的時間？」

職員用滑鼠按進電腦的「控制台」，看著一堆金希不明白的數據，告訴了她一個確定的日期和時間。金希整個人發怔——那是日昇墮樓的日子，時間則是墮樓前半小時。

金希付清修理費用後，捧著沉甸甸的電腦回家。她的心情反反覆覆，有一種緊張得想吐的感覺。終於，當她踏上五層樓梯，連校服也沒換，第一時間就是找接駁電腦組件的插頭，開啟電腦，登入「昇」的帳戶。

經修復後，桌面出現十多個檔案夾，佈滿了半個熒幕。裡面有日昇的學校功課、收藏的音樂、照片、下載的程式等等……然而，引起金希最大注意的，是一個取名為「給最親愛的姊姊」的檔案夾。

她右手握著滑鼠，要作出好一陣子的心理準備，才緩緩拉到那個檔案夾上，輕輕按進去。裡面共有三個文件檔，分別以「A」、「B」、「C」劃分。她順序地先按進A檔案，熒光幕上奇怪地出現一封電郵的備份，寄件人是日昇，收件人是仰光，電郵的寄件時間，是日昇死前那個早上。

金希深深呼吸一下，才慢慢讀下去。

仰光，你好嗎？

看到這封信的時候，我已經不在這個世界上了。大家大概會感到困惑，問我為何這樣做？但如果我告訴你，我一早便非常討厭這個世界，可以自選生命

的長度，只是讓我更早一步得到解脫，你會相信嗎？

雖然，你介入了我摧毀世界的計劃，但我並非不明事理的人，你的目的我早已了然於心。你用極端的方法勸諫我，也是一件很合我脾胃的事。只要我抽離自己的立場去看整件事，便會發覺我只是交棒給能力更高的人，用更大的力量去毀滅這個世界而已。很大程度上，我們那種對世界的共同不滿，還是不謀而合的。

在不情不願之下，我一直扮演著所謂的乖學生、乖少年、乖弟弟。由於我偽裝的行為模式完全符合世俗標準，並且經營得比普通人更刻意，我在所有人心目中幾乎是無懈可擊的。我有權相信，萬一有天我真的被捕了，只要裝出一副被不道德傳媒所陷害的悔疚表情，求情信也必定會如雪片般飄至吧？況且，這是一個本末倒置的年代，一時糊塗後的知錯能改，只會突顯更高尚的品格，我將來用一個回頭是岸的犯罪者身分回歸社會，只會博得更大的掌聲而已。

但是，仰光，你真會明白嗎？這個恍如套進太空衣內一塵不沾的我，是愈活愈不像自己了。我愈活下去，就愈討厭這個無聊膚淺的世界。於是，我著手摧毀世界，亦順道清理那些多餘的廢人。在我擁有那盤生意期間，更是我感到最高興的一年，我這樣說，或許會令你受不了吧，但我正是那種人。然而，我始終沒能力將這世界摧毀，再重建。這意味我必須繼續活在這個我厭惡的地方。

我從來也不相信死後會上天堂或落地獄這種事，正因這樣，做最善與最惡的事，對我來說毫無影響，我不會有獲得天堂入場券的亢奮，或者滑進煉獄油鑊裡的不安。我很相信，到頭來，我們誰都會在另一個特定的地方再見面。到時候，讓我們再暢快地談談吧。也許，如果真有可能，一邊吃火鍋，一邊醉醺醺地喝酒，彼此心無芥蒂地胡說八道便更好了。

如今和以後，拜託你替我照顧我姐姐了。嚴格來說，她只是個讓我感到束手縛腳的女人而已。最奇怪的是，她卻是我唯一放不下的。所以，請代替我的

位置，永遠留在她身邊吧。我心裡總有種奇怪的恐懼感，她將來始終會因婚嫁而離開我，我會感到寂寞吧？所以，我也深刻感受到姐姐失去我的寂寞，但女人擁有只要得到愛情就會忘卻親情的天性，我離開帶來的傷害只會是短暫性而已。所以，請替我照顧她。

謝謝你為我做的一切，我尋死的事跟你無關，我只是比我熟悉的人早走一步而已，不必傷心，也不用感到可惜。我實在不願意再捱下去，我真是受夠了。我也不會請求任何人原諒，我畢竟在做自己最想做的事，一個人想做而能夠做的，總不會太多。如果一生人只能做一件，我的就是這一件了，請成全我吧。

好了，執筆至此，我把要說的話也說完了，既然這封電郵是我寫給你的，你就是全權擁有者。但這也構成我唯一遺留在世上無法消除的罪證，由你決定怎樣做吧。

我經常會想，如果仰光這個人，最終會成為我的親人，我應該感到很驕傲吧。因此啊，仰光，如同對待自己家人那樣，無私地去愛我姐姐吧。

別了，珍重！

金希把整封電郵讀完，像個傻瓜般愣著不動。觀乎日昇對仰光那種親切的語氣，跟她從旺財口中聽回來的、有關日昇被仰光害死的「事實」，實在有差天共地的出入。

隔了半分鐘，甚至更久，她才記起還有第二個文件檔。

她劇抖不已地拉動滑鼠，開啟了它。那是一封，弟弟寫給姐姐的信件。

姊姊，妳好嗎？

這只是慣常的信件開場白，事實上，我知道妳過得並不好。

我但願妳從來不曾看到這封信，萬一妳看到，就表示妳仍在懷念我。又或者，掛念只佔一半，妳是想藉著緬懷我倆的一切，逃避妳不願面對的未來。正如一個人總覺得舊歌才好聽，那不代表新歌有甚麼不好，只是他聽不入耳，想沉溺在他滿以為最好的年代而已。

讓我猜一猜，妳和仰光之間有著難以解決的問題，是不是？

要是妳在這一刻，正因我的事而恨透仰光，請好好看清楚我接下來的幾句話：我給仰光那封電郵，就是讓你倆冰釋誤會的最好證據。只要妳反問自己，他為何一直不給妳看？那是因為，他寧願背負著不屬於他的罪名，也要捍衛我活在妳心目中的好弟弟形象。可見他愛妳的程度——竭力替我掩飾事情真相而免妳受更嚴重的傷害——他愛妳，比他愛自己更深啊！

對於這樣一個願意在妳面前擋箭而不抱怨半句的人，姊姊啊，妳還可以有甚麼要求呢？

我想，我已經竭盡全力，把自己的一切都刪除了，我真希望從這世界上消失，一點痕跡也不留。最好是喜歡我和討厭我的人，一瞬間便把我忘記，不必好評如潮，也不用承受啞子吃黃蓮的罪名，彷彿我這個人從沒出現過似的消失。

然而，要是我連死掉也還拖累仰光，我想自己真會連死後的平靜也沒有。因此，我留下一個容許我親自解釋的後話。看完此信，妳總會找仰光，而只要他知道妳看過我的電郵，他亦會迫不得已告訴妳一切。

無論我如何解釋，身為女孩子的妳也不會明白男人之間的情義。因此，對於他義無反顧地包庇我這回事，妳亦不用妄加指責。我確信他是一個忠誠的人，妳亦不必懷疑。那就正如，妳絕對不必懷疑，我這個弟弟會把一個壞人留在妳身邊。

姊，妳知道嗎？如果妳生活幸福美滿，妳是絕不會尋根究底，好像挖掘兵馬俑似的把我蓋了棺的過去還原。因此，為免添妳麻煩，我給妳準備好了：

在A檔案中，是一封我寫給仰光的電郵，以證實無論誰向妳離間仰光和我的感情，也只是一種死無對證的欲加之罪。至於，在C檔案中，則是我販毒的所有記錄，很抱歉妳有這麼邪惡的一個弟弟。

如果說，我仍有一絲僅餘的良知，那就是一直不忍傷害自己的親姊姊，而無法不裝出一個好弟弟的模樣吧。

雖然我不在，但我唯一的願望，就是希望這封信不會來得太遲。請原諒我，亦請原諒仰光。也許我們都算是殺人犯，但請不要忘記，殺人犯也有他疼愛和保護的家人。

即使情況反過來，我也一樣會包庇他，盡全力隱瞞潤飾他的罪行，只因仰光和我也同樣愛妳，不相伯仲的——

愛。

金希看著日昇所寫的信，一字一句也情深意切，她的眼淚不知不覺便流下來，滑到臉頰，滴到校服的衣襟上，而她卻渾然不覺。

當她把信反覆細看，突然想起一件重要的事。她猛地站起來，甚至把坐著的椅子撞翻，她看看牆上的時鐘，時間是五時四十分，距離仰光的交易時間還有短短二十分鐘，她必須制止他墮入她設的捕獸籠。

她緊張兮兮，找出手機致電給仰光，但撥了幾遍，手機依然一直無法接通。她慌張起來，連電腦也沒關便一陣風似的趕出門。平時走慣了的五層樓梯，這天卻像迷宮般漫長無盡頭。她幾乎是每走幾級，然後便一連跳幾級，好不容易才跑到街上。她幾乎直衝出馬路，用身子截停一輛計程車，請司機儘快趕去九龍公園。

車子駛在旺角的馬路上，金希忽然想起仰光載著她騎單車那一幕，她當時是如此快樂，甚至覺得自己是全世界最幸福的女孩！一陣悲哀劃破了這幅美麗

的畫面，她心裡不斷祈求，請不要讓仰光出事……請不要因為她的舉報，而讓仰光萬劫不復！

車子很快趕到九龍公園，但距離六時只剩不足五分鐘。金希飛快地衝進公園，跑到百鳥苑門前，她卻迫令自己冷靜，腳步也放鬆下來。當她一走進去，立刻發現自己已被監視，裡面的幾個遊人、一個清潔工人，皆是有意無意地朝她看了一眼，然後迅速移開視線。金希有豐富的行騙經驗，當然能察覺不妥。

終於，金希在一個孔雀鳥籠前找到仰光，他站在鳥籠前，正研究著介紹孔雀的資料牌。在仰光不遠處的長椅上，坐著一對喁喁細語的情侶，她卻發現兩人的耳窩內也藏著微型通訊器。金希知道，只待與仰光交易的人前來接觸，他們勢必被一網成擒。

金希快速視察四周形勢，馬上想到一個兵行險著的策略。然後，她遠遠看著仰光，甜蜜地笑起來，故意放輕腳步，繞到他身後，用雙手掩著他的雙眼，

臉上保持小情人般的促狹笑意，輕聲地說：「我是金希，四周都有警察，我們要做一場戲。」

仰光有了兩秒鐘的沉默，便順應地微笑，「好的，我會配合妳。」

「轉身，吻我。」

金希攤開蒙著他雙眼的手，仰光轉過身，抱住金希的腰，把她拉到自己懷裡。他把嘴唇貼上她的唇，兩人熱吻起來，活像一對正打得火熱的小情侶。

擁吻了十多秒，金希便放開仰光，她拉起他的手，領著他去十多呎外的公廁。她故意把他拉到傷殘人士廁格內，鎖上了門。

門一鎖好，金希便緊緊盯著他說：「貨在哪裡，快拿出來！」

仰光看著金希，一下子卻沒行動，她用掌心大力拍打他額角，再說一遍：「不要裝了，我們只剩下半分鐘不到，你想不想坐牢？」仰光這才恍如清醒過來，馬上拉開書包暗格，把一包白粉拿出來。金希快速拆開它，把粉末全倒進

馬桶內，即時拉下把手沖水，毀屍滅跡。她緊接著扭開水龍頭，沖洗那個空空如也的透明膠袋，務求半點殘跡也不留，再把它塞到垃圾箱底部，跟一大堆污穢的紙巾和雜物擠在一塊。

一如她所料，還不到二十秒，門外已響起用力敲門的聲音，一把男聲在外面喊：「你們兩個學生走進傷殘人士廁所裡幹麼？開門！」

金希與仰光有默契地互視一眼，兩人便分別行動。仰光把門打開一道縫，那個身穿職員制服的男人，眼神銳利地看進廁格內，只見已脫掉校褸、衣衫不整的金希，正側身背著門，一臉羞愧地扣回校服胸前的鈕子。

仰光一臉慌亂地求情：「先生，我知道我們做錯了，但我們只是一時情不自禁……請不要通知學校。」

男人沒有發現異樣，便粗聲粗氣地說：「現在要清潔廁所，馬上給我離開！」

仰光對男人的不予追究千多萬謝，他跟金希趕緊撿起書包，神情狼狽地離開。當兩人步回百鳥苑那邊，卻見三個便衣警員正表露身分，盤問兩個坐在長椅上玩PSP的男學生。金希心知自己和仰光只是走好運，剛好有可疑人物吸引了警方的注意。

縱使如此，裝作情侶的兩人，還得繼續把戲做下去。他們拖著手漫步，實際上卻是一步一驚心。雖然他們想立即逃離，但這刻正巡視傷殘人士廁所的警員，隨時有機會喊停他們，他們不能發足狂奔，否則便會不打自招。

金希拖著仰光的那隻手特別冰冷，仰光的手卻一直和暖，彼此的掌心在邊走邊廝磨之間，她的手也被搓得暖了。她不禁回想起兩人相處的日子，那時候的自己，真正地感到快樂。讓她覺得荒唐的是，在這危險重重的一刻，她卻有種被安靜地呵護著的感受，讓她整個人放鬆下來。

「對啊，我剛找到日昇死前寄給你的電郵。」她有意無意地說。

金希把視線轉向仰光，仰光明明聽見這話，卻一時沒有反應。她不給他動腦筋的時間，繼續說下去：「讓我猜，你接下來會如何回應：『咦？我不知道妳在說甚麼』……又或是：『這是我和日昇之間替對方永遠守著的秘密，女人不要問！』……你會不會給我一點意料之外的答案？」

仰光嘆息似地道：「妳知道了。」

「是的，我已知道我有權知道的。至於我不知道的部分，你也該像重組案情般給我解釋清楚。」金希邊走邊斜睨著他，「問題是，你會把一切坦白告訴我嗎？」

仰光看著她，「若妳有一個朋友，而妳真的視他為要好的朋友，妳會在他死後清算他生前的一切嗎？」

金希堅定地答：「假如他真是我最要好的朋友，我只會相信，他死後也不希望我替他蒙受不白之冤。」

仰光給她反駁得啞口無言。

距離百鳥苑的出口，只剩下一段五十米的小徑，金希帶著希望地笑說：「要是這一次大難不死，你就告訴我一切真相吧，這就是我倆的命運。」

看著近在眼前的出路，感覺卻相當漫長。仰光終於接受命運，從牙縫間說了聲好。

可惜，只差數步，兩人便能跨出百鳥園範圍的時候，身後卻傳來一陣呼喊，兩人一下子便認出是剛才那個喬裝職員的警察。仰光明知無法一起逃跑，他馬上鬆開金希的小手，雙眼朝向出口，對她輕喝：「妳快逃！」

「不，我們一起被捕！」金希反過來，牽起仰光的大手。

突然之間，仰光感覺到，縱使他還未開口解釋一切，金希已確認了對他的信任。他想起自己默默替日昇承受了巨大委屈，一陣激動從心頭湧起，一時百感交集。

他看著金希，「對啊，打從一開始就是這樣，有何不可？」兩人同時想起那次詐騙行動失敗，仰光冒死也要營救被捕的金希，彼此便相視一笑。

兩人一同回頭，準備挺身承受一切。滿臉嚴肅的男人走到他們面前，卻攤開手心，是一個小小的胸針，「是妳遺下的嗎？」

金希驚喜地點頭接過，「是我弟弟送我的禮物，對我很珍貴，謝謝你。」自從日昇死後，她一直把他去年生日送她的胸針放在校褸袋中，她剛才急忙脫去校褸時，不小心給弄丟了。

眼看男人轉身離開，兩人難以置信地盯著對方，這真是太幸運的一天。步出公園，夜色已淹沒整個天空，混進尖沙咀繁華街上的人潮中，兩人才真正感到安全。

直至這時候，金希才鬆開仰光的手，兩人的手心都因緊張而濕透，「好了，我已等著聽這個故事很久，你要告訴我了。」

仰光願賭服輸，他點點頭，但仍強調著說：「它只是一個故事，而妳也必須當作故事去聆聽，不要批判，也不要激動，可以嗎？」

金希深深吸口氣，「沒問題，我想我也準備好了。」

驚魂甫定的仰光環視四周，覓到一家咖啡店，他說：「但首先，我需要一杯expresso，特濃的expresso。」

「由我請客吧。」金希咬咬牙，溫和微笑一下，「我也要喝一杯。」

我喜歡妳細說從頭，
詳盡地描述一切的表情，
最好妳說得手舞足蹈，
把情況誇張很多倍也不要緊，
那會帶動我走到我不在時，
只有妳單獨冒險的處境。
我但願能夠跟妳共同歷險一遍……

第七章

愛一個人，總有單純的妒忌

妒忌到一個地步，
大概已超越了愛，
也超越了由愛衍生的恨，
那只是單純的妒忌而已。
就像得不到玩具的小童，
詛咒世上所有擁有玩具的孩子般，
那種抗拒不了的心靈孤獨……

連續一個星期，除了上學時間，旺財也履行自己答應珠珠的話，一直守在珠珠公公的骨灰龕位前，直至靈灰閣晚上必須關門為止。職員們見了旺財多次，認定他是個孝順的孫子，誰也不知道，其實公公與他根本沒有血緣關係。

周末中午，不用上學的旺財一大清早便來到靈灰閣。每逢周末周日，來探望故人的孝子賢孫會比較多，香火特別鼎盛，旺財靜靜坐在一角，溫習即將考試的課本。

讓他奇怪的是，身在這個充滿故人故事的地方，他心裡卻是異常的平靜，從來也對讀書提不起勁的他，在這裡竟可專心一致。他這才發現，那些看似艱深的課本，原來只須把內容真正理解過來，也就難不倒他。

當他正背誦英文生字之際，一直不曾露面的珠珠終於翩然出現，她與旺財打了個照面便別開臉，點起一炷清香，走到滿滿也是骨灰龕的牆壁前，注視著公公的遺照，給他三個鞠躬。

當她把香枝插在香爐裡，完成簡單的拜祭後，旺財才慢慢步向她，輕聲說：「珠珠，妳終於來了。」

「我來這裡，不是為了找你。」珠珠木無表情地看他，「你一直在這裡等我嗎？你真是無聊到這個程度嗎？」

旺財不管她的冷言冷語，只知道有一件憋在心裡良久的事，必須向她說個清楚。他凝視一下公公的照片，再把視線轉向珠珠臉上，鼓起最大勇氣說：「有一件事，我希望當著公公面前告訴妳。」

「在此之前——」珠珠截斷他即將開口說的話：「我正好也有事要在公公面前問你。」

「妳先說。」

珠珠直視著他，「我公公去登山遠足的事，你是否一早知情？」

旺財簡直像傻瓜般愣住了，那正是他即將要說的事情啊。他不知道珠珠從

何得知，但如今讓她先一步說出此事，即是意味著，他已失去道出真相並請求原諒的機會。

那個時候，公公剛學會使用電動輪椅不久，得知朋友們想去郊野公園，他也蠢蠢欲動，主動要求旺財幫忙隱瞞珠珠。想不到的是，遠足期間，公公竟意外跌下懸崖喪生。為了這件事，旺財一直自責至今。

他低下頭，過了幾秒鐘才緩緩開口：「是的，我一早知道。」他放棄替自己辯護。

「那麼，當得知公公出事的一刻，你為何要騙我，說你甚麼也不知道？」她雙眼像一柄鋒利的刀般緊緊盯著他，「我永遠也會記住，你那時對我說過甚麼。你說：『如果我知道，我一定會阻止公公！』」

旺財張大嘴巴，實在組織不出一句話來。

珠珠咆哮著說：「說啊！你不是要當著我公公面前，把一切說得一清二楚

嗎？」她的聲音在靈灰閣內迴盪，引起了其他拜祭人士的注視。

旺財結結巴巴地說：「我當時滿腦子空白……我只是……不敢承認此事……想逃避責任。」

「你害死了我的公公！他是跟我相依為命的親人！」珠珠毫不留情地給他一巴掌，「要是你早一步告訴我，這事便不會發生！」

「對不起！很對不起！」旺財的左頰像被火燒過般滾燙，但卻完全感覺不到痛。他只覺得整個人幾乎要被自責淹沒了，那種自責的程度，使他感到窒息，更讓他五臟六腑真實地有抽搐成一團的痛楚。

「好了，我把我的話說完了。」珠珠用左手握著給了旺財一記耳光的右手手腕，抑制著悲慟的情緒。她紅著兩眼說：「現在輪到你說——但你還有話可說嗎？」

沒有了，旺財只剩下永遠不獲原諒的絕望而已。

他失神地說：「我無話可說。」

「那麼，你最好立即離開這裡。」珠珠轉臉向公公的遺照，「我想安靜地陪伴公公。」

旺財衷心再說一句：「對不起。」他向公公躹了三個躬，拾起課本便拔足離開。

這一次，他真確地知道，為了他無法彌補的錯失，他已永遠失去了珠珠。

他跑落三層樓高的靈灰閣，一路繞著樓梯走，他想到這將會是二人永遠的訣別時，他淚流滿臉，完全不可自控。

「旺財！」

忽然之間，他聽到珠珠從樓上傳來的聲音。他霍地停下腳步，卻沒有舉頭往上望的勇氣，「嗯，甚麼事？」

珠珠走到樓梯拐角處，問：「我公公最後跟你說的是甚麼？」

旺財回想一下，一切恍如在昨天發生。他如實地說：「公公很興奮地說：『我跟朋友到郊野公園的事，千萬別告訴珠珠。有她在場，總會發表很多意見。』而我則回答：『我也不知道你跟朋友去郊野公園呢！』只是這樣。」他一直別過臉，不讓她看到已淚流一臉的自己。

「我公公看來快樂嗎？」

旺財回想公公那種恍如年輕數十年、頑童般的神情，他用相當確定的聲音說：「非常非常的快樂。」

「沒騙我？」

「妳要我發多少次毒誓也可以。」

「謝謝你，我必須知道這些。」珠珠的眼神裡有種釋懷，「至少，我可以幻想，假若公公沒發生意外，那該是他過得多麼快樂的一天。」

旺財明白地點一下頭，用力咬咬牙，繼續踏步向前。就差那麼幾步，他便

走到門外，兩人也就從此各不相干。他卻為了自己勢將在對方生命裡消失，而對方也勢將忘掉他而感到戀戀不捨。

「旺財，既然你不騙我，我也必須告訴你，我欺騙了你的事。」

旺財又再停下腳步，他完全不知道珠珠下一句話會說甚麼，只知道自己必須面對她。所以，他慌忙抹掉臉上與下巴的淚痕，回頭望向珠珠。然後，他才發現，眼前的珠珠也是一臉淚水。

「那天我告訴你，我收容你只是一場金錢交易。」珠珠凝視著他，「那些全是假話。」

旺財一怔，燃起若干希望地看她。

那一天，珠珠的學校舉行教師訓練日，她獲得一天假期，而旺財卻要照常上課。兩人在家樓下的茶餐廳吃過早餐，珠珠像家長送兒子上課般送旺財上巴士後，便走到街市買菜。這時候，她碰到從前經常跟公公下棋的老伯們。自從

公公的意外後，大家還是首次交談。各人向她問好，言談之間，有個老伯伯無意中透露，原來旺財一早便知道公公去郊遊的事。

珠珠得悉內情，心情大受打擊，一直在家裡公公的靈牌前呆坐到下午，終於忍不住去旺財的學校，要找他大興問罪之師。教她最意外的是，她發現了正離開學校的旺財和Janice，親眼看著兩人在學校對面的小公園內互相擁抱。由那一刻起，她對他完全絕望了。

對於旺財，珠珠弄不清楚他對她的一切到底是真情實感，抑或只是虛情假意。但事到如今，她已不想深究，只想斷絕兩人的關係而已。那是她把未來的傷害減到最低的方法。

於是，她突然想到旺財祖母給她的那張支票。

那一次，旺財的祖母為了希望珠珠離開她的孫兒，叫她開一個價，她隨口說了一百萬，祖母便氣定神閒地簽了一張一百萬的支票給她，遞到她手中。

即使面對的是長輩，珠珠仍是老實地告訴她：「在妳心目中，黃貫財值一百萬嗎？對我來說，他卻一元也不值吧！我做人沒甚麼大志，我還是喜歡一輩子也賺不到那麼多錢的那個自己。」她把支票放在身旁的空位上，祖母卻拒絕收回，只是說：「妳留著吧，總有一天，妳會用得著這張支票。」那時候，珠珠難以理解，但她還是小心地收藏著這張支票。直到那時候，她終於明白過來，衷心佩服這個有錢人的神機妙算。

因此，旺財回家後，她演了一場戲，讓旺財發現抽屜底下的支票，也對他說了一大堆絕情的話，令他相信她真是個壞人，只得絕望離去。

旺財聽完珠珠的一番話，終於恍然大悟。他一直也奇怪，為何當日她會轉變得那麼突兀？當經歷了千辛萬苦，祖母才默許他們在一起，而他們兩口子不是相處得很好嗎？她真的是處心積慮、苦心經營的貪財女孩嗎？他從來也不相信。

如今一刻，他終於把一切弄明白了。原來，一切只是基於珠珠對他的不信任，又或者說，是由於他自己的失信，最終釀成她背棄他的結果。

這包括他跟公公隱瞞著她的事，也包括他經常在她面前提著Janice的名字。旺財當然無法令珠珠相信，她見到的只是他安慰痛失家人的Janice的友情擁抱。

他明白了這一切。是的，他當然明白，關於愛一個人的懷疑和妒忌。

這時候，珠珠問了一句：「我把話說完了，我倆也扯平，不拖不欠了。你還有話說嗎？」

旺財很想吐出甚麼話來，但一時之間，腦袋卻像塞滿石頭，不懂解釋也無法自辯，完全無話可說。

樓上傳來步下樓梯的聲音，珠珠抬眼看看快將走近的一家人，樓梯很狹窄，她無法折返回頭。於是，她一步步走近旺財，擦過他身邊時，看了他最後一眼，然後快速離開。

旺財只是像枯木般站著，直至下樓的一家人走到他面前，身子佔了大半邊樓梯的他仍是茫然毫沒反應。那家人乍見臉色灰暗的他，一下子弄不清是人是鬼，只得匆匆側身而過，避之則吉。

旺財不知呆了多久，失神的雙目才逐漸回復焦點。當他的意識恢復過來，他第一時間轉身奔出街外，引頸張望，及時在對面街道上尋覓到珠珠的背影。

他心裡一陣火熱，只知道無論如何，他一定得把她追回來。尤其，當他發現自己讓她在感情上受了萬般委屈，他更加責無旁貸。

終於，旺財橫過馬路，正好跑到珠珠面前，他張開雙臂，攔著滿懷心事地獨行的她。

她抬起眼看他，眼裡沒有驚異也沒有高興，語氣平淡地說：「又有甚麼事？」

「妳仍然喜歡我，對吧？」

「旺財，你愈來愈像個無賴了。」珠珠搖搖頭，平和地說：「若你希望在我心中留下一絲好印象，就不要再窮追猛打，不要纏住我了。」

「我知道，我祖母那張一百萬的支票，妳怎樣也不會兌現。」他竭力地說：「因為，妳仍然喜歡我，我說得對吧？」

「就是為了這件事嗎？」她從手袋裡掏出那張支票，「我必須兌現它，你才相信我倆完了？」

這是一種一是得到全部，一是失去所有的show hand對賭嗎？旺財咬咬牙說：「我的想法正是如此。」

「既然如此，我會令你無法懷疑。」

珠珠步向剛才走過的一名正賣旗籌款的小女孩，順手便把那張百萬支票放進籌款袋內，換取了一張小小的貼紙。旺財連阻止也來不及，看得目瞪口呆。

珠珠重新走回他面前，「你滿意了吧？」

旺財欲攔著她的兩臂軟軟垂下，她已攻破他的一切信心，他無法阻擋她那股壓倒性的氣勢。

珠珠看著無言的他，也就沉默無語地轉身離去。旺財凝視她的背影，他把一切都押上了，手中已經沒有任何籌碼。然而，一無所有的他，這刻更了解自己。

他握緊拳頭，用明亮的聲音大喊：「趙——海——珠——我——喜——歡——妳！」

街上的途人，皆被旺財大聲發表的愛的宣言吸引過來。

他高聲嚷道：「我才不管妳喜不喜歡我，我也懶理自己是不是無賴，我就是喜歡妳！」

一直往前走的珠珠，留意到滿街路人也把視線轉移向她，想察看她有何反應，這使她感到一片混亂，卻同時又一陣心軟。

旺財把雙手曲成筒狀，叫得聲嘶力竭：「如果害羞代表不夠愛妳，我寧願做個厚顏無恥的小丑，也要大聲說我愛妳！」

珠珠再也受不了，她彷彿在滿街途人的萬眾期待之下，轉過身子，遠遠瞧著旺財。

旺財停下吶喊，被她牢牢盯著的他，有面臨最後審判的感覺。

「你說你愛我，但你如何證實你真的愛我？」

旺財確實聽到珠珠話裡的每一個字，但卻好像無法把整段說話組織起來，腦子變得一片空白。

「到了你能夠給我愛的證明，你才來找我吧！」

語畢，她便毅然轉身而去，沒有再回頭。

途人們知道沒熱鬧可看，很快便繼續各走各路，只剩下佇立在街心的旺財，久久無法邁開腳步。

自從Jancie在學校門前被傳媒追訪，熙拉著她乘計程車離開，彼此吵了一場後，他們便陷入了一個古怪的局面。

兩人再沒有親吻、擁抱、牽手等行為，情人之間的親密已不復見，但彼此之間仍是保持著朋友的關係相處。當然，誰也沒有向金希、旺財等人提及那次鬧翻的事。因此，那種關係上的微妙扭轉，就只有當事人知道。

Janice的援交床上短片，只起了短短幾天的風波，便給另一段「band 1名校校花援交實錄」搶去所有風頭。當然，band 3女生幹這種事的震撼性，遠遠及不上band 1女生。當新鮮熱辣的片段成了所有人捕獵的對象，往日守在校門前追訪Janice的記者也就消失得無影無蹤。

當事件似乎告一個段落，有天下課後，Janice和熙一同散步去車站，Janice突然告訴他，有一個富家子看了她那段短片，看上了她，更主動聯絡她，提出

以十萬元包養她一個月。

熙聽完Janice這番話，只是平靜地問：「那麼，妳的想法如何？」

「那男人的條件很不錯。」Janice彷彿談著她的新男友，「我昨天跟他見過一次面，吃了晚飯，對他也頗有好感。」

「答應他的要求了？」

Janice點點頭，她告訴熙，兩人約定在下個月初正式開始，剛好到月尾結束。就像領取月薪的公司職員，容易點算金額。

「妳確定沒危險嗎？」熙只像朋友般擔心她：「幾個月前，發生了一名女生在援交時給肢解的恐怖案件。為了賺點錢而失去一條命，不划算吧。」

Janice笑著說：「放心吧，我不會以身犯險。那男人頗有家世，而且行事非常謹慎，就連吃那一頓飯，他也安排在一家西餐廳的VIP房，又遲來早退，可見他比我還小心。」她記起甚麼似的說：「對了，你有空嗎？我要往中環一家診

所走一趟。」

「妳生病了？」

「不，我要去做一個愛滋病測試。」她若無其事地說：「是那男人要求的，連醫生也給我安排好了。」

熙掀掀嘴角，「那麼，他真是一個老手。」

熙陪著Janice到達中環那所甚有氣派的診所，Janice很快給醫生召進去，他坐在外面等候，留意到掛在牆上的月曆，看得目不轉睛。再過一個星期，便是下個月的開始。

然後，Janice就像是待檢定的豬，終於通過檢驗，順利被送往屠宰。

在Janice重操故業前的一個下午，熙正在旺角的二樓書店看書，他接到Janice的電話，詢問他在哪裡。熙有點奇怪，「我倆的手機不是有那種『貼著你

伴著我』功能嗎？妳隨時能夠追蹤到我的所在吧。」

「為了不讓你覺得時刻被我監視，我已單方面取消了這功能啦！」她說：「讓我猜一下，你那邊靜得要命，你正在旺角那間二樓書店？」

熙把手中的小說放回書架上，靜靜地走出書店，在唐樓的梯間說：「不是，我在尖沙咀一個偏僻的商場內。」

「哦，你現在有空嗎？」她說：「我想買幾件衫，你來給我點意見好嗎？」

熙默然一會才答應她，她亦為遷就他而相約在尖沙咀。她真的不知他身在何地，彼此間曾經擁有那種互相確定對方位置的默契，似乎已消失於無形。

兩人到金馬倫道的時裝店逛逛，Janice告訴他，她想添幾套新衣服，希望能討好那男人。當她試穿每一套讓她看起來很漂亮的衣裙，熙卻總能找到挑剔的地方，讓Janice望而卻步。

到最後，當他們走遍整個尖沙咀區，仍是一無所獲，他們在一間雪花冰店歇歇腳。穿了高跟鞋的Janice揉揉小腿，忽然自嘲地說：「想起來，我真是白忙一場！我每次只會在酒店房間內等他，絕大多數時間也不必穿衣服吧？」

一直垂頭吃著雪花冰的熙乍聽之下，手握著的鐵匙僵在半空，霍地抬起頭凝視著她。

Janice看著熙露出奇怪的表情，她問：「嗯？甚麼事？」

他指指自己眼窩下，「妳的黑眼圈很厲害，是不是失眠了？」

「這叫smoky eyes，特意化得又黑又矇矓的啊！」Janice失笑，「男人大概很難明白吧。」

「是啊，我真不明白，失眠幾天不就有同樣效果了嗎？」

熙自嘲似的笑笑，便回復剛才的動作，繼續吃著那碟雪花冰。

如果黑眼圈象徵想一個人想得太多，
那麼，
我很願意為妳變成熊貓。
而且，
不是一隻，是一雙。
我比誰都雙倍的思念妳……

第八章

愈想證明，愈害怕證明我不是個很值得愛的人

當妳給我下了一條愛的試題，
我就像如何力爭上游也力有不逮的學生，
我怕自己會隨著我的愛而降級，
成為一個妳不再感到驕傲的
愛的壞學生……

當金希、旺財、熙和Janice一同吃午飯時，旺財對著他面前的意粉發呆，他用手裡的鐵叉子一直捲著意粉，卻沒有一點放進嘴裡吃的意思。

金希沒好氣地取笑他：「旺財，你就放過那碟意粉吧，它們快給你弄成織毛衣的線球了。」

旺財這才清醒過來，看著捲成一大團的意粉，自己也給嚇了一跳，苦笑起來。

金希的心情看來真的很不錯，她關心地問：「旺財，你是那種把所有感受放在臉上的人，如果你有甚麼事情解決不了，不妨直接說出來。我們多幾顆腦袋，大概能夠激發更多想法吧。」

旺財看看真心關懷他的金希，她的心情似乎已輕鬆不少。前陣子，她為了日昇的事而終日鬱鬱不歡，他一直擔憂著她。現在她會主動關心別人，可見她已慢慢從陰霾中走出來。身為她的朋友，旺財亦感到安慰。

因此，他倒也爽快，把自己想到茶飯不思的難題說出來：「我和珠珠鬧翻了，她給我一條問題，她說：『你說你愛我，但你如何證實你真的愛我？』她要我給她愛的證明，才可以去找她。」由於事情複雜，也牽涉Janice，他不欲透露太多，只好直接說出重點。

金希和Janice聽完他的難題，不約而同露出同一款苦笑。而熙則反應淡然，旺財明白他，他一向不慣把感受溢於言表。

金希失笑，「首先，我們要弄清楚，珠珠說出這話，到底只是你倆在耍花槍，抑或她真正想得到證實？」

旺財想了一下，結結巴巴地透露多一點：「她的語氣是非常認真的吧？而事實上……我倆已不算一對情人了，我是對她苦苦哀求，她才給了我這個『試題』……她大概是想考驗我，看我有多希望跟她在一起吧？」

「我倒不覺得如此——」Janice有意無意間瞄了跟旺財同坐的熙一眼，再轉

回旺財臉上，坦白地道：「凡是女孩子說要你證明有多愛她那些話，目的只有一個：她想找個藉口攆走你！那是因為，所謂愛的證明，範圍實在太空泛啊！而就算你把心臟都掏出來給她，她只須反問一句：『你覺得那就能證明你愛我？』你就死得不明不白啦！」

金希原意是想給苦惱的旺財一點支援，想不到Janice卻來一記悶棍，狠狠地把他打沉。她只好揚揚手，表明自己的立場：「那只是Janice的想法，我卻正好相反，假若我要求一個男孩給我愛的證明，那就表示，我想他能夠做一件真正令我動容的事。」

Janice彷彿對金希的話不以為然，她直視著熙說：「喂，給旺財一點意見啊，怎樣才可以證明愛？」

熙掀掀嘴角，「我不曉得。」Janice翻了翻眼，拿他沒辦法。這個人可真冷淡，也欠缺想像力。

旺財聽完金希和Janice正反兩方的話，他托著腮，無計可施地說：「我真的想了很多證明的方法：送禮物、說感人肺腑的話、馬上跟她訂婚之類……不是說笑，甚至更包括把心臟掏出來給她看看，可是……這也無法證明愛。」

看到旺財愈來愈落寞的神情，金希也沉默下來。Janice給大家弄得很不耐煩，「你在苦惱甚麼呢？她沒給你限期，你也不用十萬火急吧！否則，你還沒證明到你愛她，醫生已證明你營養不良啊！」

旺財聽到Janice的話，整個人恍如給當頭棒喝，他說：「對啊！我不可以自暴自棄！」他抖擻精神，把意粉大口大口送進嘴裡，讓三人看得目瞪口呆。搞甚麼啊，他簡直像一頭餓昏了的狗。

——當然，即使醫生證明他身體健康，卻也無法證明愛。

正式被富家子包養的前一天下課後，Janice要求熙與她一起去銀行。

她告訴熙，那男人先付了一半的錢作訂金，由於金額太大，她一個人提款不安全，熙自好順從地陪她去了。

教熙意料不到的是，Janice一口氣提取全部訂金，隨手把一大疊現鈔塞進書包。兩人走到街上，一向冷靜的熙也不禁東張西望，害怕隨時遭人洗劫。

Janice對他說：「我決定在今日之內，把這筆錢一口氣用完。」

「打算怎樣用？」

「對女孩子來說，最好當然是買名牌！」

Janice的神情像個得到玩具的小女孩，熙只是不表認同也沒反對地笑笑。

兩人去了舉世知名的超級名牌店，Janice充滿氣焰地命令女店員拿出幾個限量版手袋給她看。她試挽在手中，問熙有何意見，他只是露出一個不大滿意的神情。最後，面對放滿整桌的手袋，Janice選了一個最新的款式，而當她選定了，熙便點點頭說：「這個尚算不錯。」

結賬時，Janice拿出千元大鈔，她一張一張地數著鈔票，總共數了四十六張。離開的時候，女店員和大門的男守衛均接近九十度地向他們鞠躬。

在一家快餐店裡，Janice把本來放在她袋子裡的課本和物件，全部轉移到新袋內。店內的女顧客都認得這牌子，大家當然更清楚它的價值，人人皆對一名中學女生有機會拿著這袋子而竊竊私語，Jancie對於自己成了眾人焦點，顯得意氣風發。

臨走前，Janice把她拿了幾個月的冒牌名牌袋子刮花和大力扯爛，然後隨手擲進附近的垃圾箱，此舉又令半間快餐店的人看得呆若木雞。

兩人走在街上，Janice一臉神氣地笑著說：「你剛才有沒有留意其他人的表情？大概所有人也以為我換過新袋子，就把舊手袋當作垃圾般丟掉吧？我相信，沒人會想到那是仿真度極高的冒牌貨吧？」

熙微笑一下，的而且確，誰也不會聯想得到「太子換狸貓」這回事。

「我一直用冒牌的名牌貨，但從來不覺得別人會懷疑我。」Janice把手袋揚得高高，卻語帶感慨地對熙說：「想不到，我也會買下一個真正的名牌手袋……你知道我為何總是用冒牌手袋嗎？」

熙搖了搖頭，他真的不知道。

Janice老實告訴熙：「幾年前，我仍是對名牌毫無概念的女生，有一天，我走過一家名牌店，被櫥窗裡那個漂亮的手袋吸引進去，當我要求店員把那個漂亮的手袋給我看，店員卻當場拒絕了。我問原因，店員看著我在旺角買的無牌子手袋說：『這並不是妳這種人應該來的店。』我就在屈辱之下離開，自此之後，我就不斷搜購『A貨名牌』，每當看到名店店員向著我的『A貨』躹躬，我就感到可笑。原來，只要拿著手袋的人充滿自信，並表現得意氣風發，別人根本不敢懷疑你手上的是否名牌。」她靜默一下，然後笑道：「可是今天，我拿著用了很久的冒牌手袋，卻突然有點心虛。原來，名牌不只代表那個牌子矚

目，它更可以彌補女人失去了的自信和散落了的尊嚴。」

雖然那是一個既殘酷又可笑的現實，卻教熙無法懷疑Jancie的話。他沉默地望著她。

「好了，我不是說過今天內要把錢用光嗎？還有幾千元，真苦惱要怎樣花！」Janice說：「我們找個地方，好好吃一頓！」

熙卻搖搖頭，「去吃飯沒關係，可是，必須由我請客。」

「你不喜歡用那男人的錢？」Janice側過臉看他。

「不，錢已經是妳的。」熙簡單地說：「我只是不想花妳的錢，幾千元足夠買兩對不錯的高跟鞋了。」

「也好，趁我今天仍是自由人，讓你請我吃一頓飯。」Janice笑了，「謝謝你。這也可算是包養我的一種吧？……一種不望回報、慈善性質的包養。」

熙但笑不語。

兩人吃了一頓蠻豐富的西餐後便分別。那個晚上，熙以為自己會致電給Janice，但他沒有。他也滿以為自己一定會徹夜難眠，想不到的是，他一倒在床上，還沒想到該如何熬過漫漫長夜，便已不知不覺入睡了。到他睜開雙眼的時候，已是翌日早上。

是天氣和暖的一個周末早上，如同任何一個天氣和暖的周末一樣，地球還是照樣運轉，他一點問題也沒有。

——他最奇怪的，正是那個連一點問題也沒有的自己。

周末下午，旺財百無聊賴地四處逛蕩，心裡一直思考如何給予珠珠愛的證明。一直走到傍晚，腦海還是一片空白。

到他餓壞了，就隨便找一家快餐店，吃那個在廣告裡令人垂涎欲滴的一人火鍋。他獨坐面對大街的單人座，一邊在北海道鮮奶湯裡燙著肥牛肉，一邊責

怪自己真是個沒腦筋的笨蛋。他知道，只要早一日找到那種證明，也就可以早一日去找珠珠，反之亦然。

可是，他愈是努力去想，愈是沒有任何想法，這種情緒不斷煎熬著他，使他整個人也顯得消瘦憔悴。

當他捧著湯碗吃烏冬，毫無焦點地呆看著外面的景物時，一輛駛至馬路迴旋處的雙層巴士突然引起他的注意。那輛巴士正以高速拐彎，當他還在想車子高速得不合常理，巴士已失控，全車向右翻側，四分之一的上層車廂壓在路邊花槽的石壆上。他親眼目睹車身如罐頭般被割開，有乘客被拋出車外，讓只相隔著一道玻璃的旺財嚇得目瞪口呆。

當他恢復意識的一刻，第一時間擲下碗筷，毫不考慮地跑向意外現場。巴士上層車窗盡毀，座椅飛脫，乘客們撞向椅背及扶手，滾作一團。旺財眼看車內至少有三四十人，死傷枕藉。他只得即時決斷地放棄已經毫無生命跡象的

人，聯同幾個也趕來搶救的市民，徒手拉開撞至變形的鐵枝，把清醒的傷者扶出廢鐵堆一樣的車廂殘骸，讓他們安坐路旁等候救援。

當他把最後一名傷者抬出車後，定下神來，只見躺著的傷者們全都血流披臉，痛苦的吟呻聲此起彼落，喊叫親人之聲不絕。由於傷者太多，趕來的救護車和救援人員明顯不足，只能把最嚴重的傷者優先送院。縱使現場一片血淋淋，旺財始終無法安心就此離去，只得安慰臥地的重傷者。

他走到一對廿多歲的情侶跟前，只見男人右半邊臉被削至見骨，右半邊身則被擦至皮開肉綻，全身血肉糊模，毫無反應。女人把他擁在懷中，對旺財哀求著說：「請你救救他！」

旺財看著只是輕傷的女人，心想或許她已激動得神智不清，誤認自己是救護員。她嗚咽著說：「在前一刻，我倆還在吵架。我罵他半點也不關心我，嚷著要跟他分手……怎知道，車翻了，他第一時間緊緊抱著我……求你救救

他！」

旺財看看臉色灰白的男人，心知他已活不成，但仍朝她努力一笑，「我馬上叫救護員來。」他走向救援人員，卻見無一個不是忙著奮力救人。他看到一名女傷者的右前臂斷開，僅皮肉相連；一個母親抱著奄奄一息的女兒在悲哭……一切都慘不忍睹，讓他恍如身處人間地獄。

旺財雙腳驀地發軟，他實在無能為力。

他跌坐在石壆上，垂眼看著自己染滿鮮血、不由自主地顫抖的雙手。然後，他的手慢慢停止抖動，握緊血跡斑斑的拳頭，臉上流露出一抹悲傷的微笑。

——他終於醒覺，何謂愛的證明。

在Jancie開始被包養那天，熙繼續他如常的周末消閒活動。

他坐在二樓書店打書釘，雙眼盯著小說裡的一字一句，明明已把逐字逐句看清楚，但他就是無法組織整段內容，就像嚼著一堆不成體統的單字，他很快便感到枯燥無味。

翻了幾頁，他已無法不放棄，把書合上、放下。他走到鬧哄哄的街上，只覺得世界忽然出奇地沉靜，就像他雙耳塞了一對入耳式耳筒似的。他甚至連自己吞口水的聲音也聽得見，卻對滿街噪音有著一層奇怪的隔膜。

他以為自己染了傷風或感冒，但他的精神不差，也沒頭昏腦脹等病徵。當他走過一條馬路，一輛私家車在他腳邊緊急煞車，差點便撞上他。他在司機的臭罵聲中呆呆地橫過剩下的馬路，只見對面的途人皆用奇怪的眼神看他，他才留意到行人過路燈原來一直顯示著紅色。他這才驚覺，自己剛剛竟是看著車行的交通綠燈而走過馬路。

他走到一家咖啡店，隨便找個雙人座位坐下，要讓自己冷靜一下。一個捧

著咖啡的外國女人卻不客氣地請他離開，他才知道自己不曾留意對面座位放著一個手袋，只得尷尬離開。

熙想去洗手間洗一把臉，他走到洗手間門前，發呆一會。那些標示男廁或女廁的標誌，突然好像變成他不理解的神秘密碼，直至有個男人從其中一道門步出，他才懂得進去。

他用雙手掬起冷水猛潑向臉上，就像要過冷河般把自己沖洗一遍。這一整天，他神不守舍，不知自己發生何事。

終於，當他走到旺角那幾條滿佈舊唐樓的街道，幾乎每一幢門前也掛著刺眼的黃色燈箱招牌，他隨便找了一幢便拐進去，如同以前的那個他那樣。

晚上時分，熙致電給Jancie，她並沒接聽，大約兩小時後，她才回覆電話。熙問她有沒有空，她說自己剛與富家子道別。熙約她出來，她便答應。

在快餐店裡，熙把剛才嫖妓的事告訴了Janice，且說得滔滔不絕：他是第四位客人，與兩個男人在板間房外的椅子上等候，一個男人看來像剛下班的地盤工人，另一個則是一直用手機上網的西裝男人。他有一刻懷疑自己正在輪候看街症。

Janice按捺著，聽完他的話，平靜地問：「你幹麼對我說這些？」

熙也平靜地說：「沒甚麼，妳把妳的事告訴我，我也跟妳分享我的事吧。」

「你今天去做嫖客，我去接客，我倆總算也促進了香港經濟，那不是很好嗎？」Janice滿有興趣地問：「對了，當你嫖妓時，在想甚麼？」

「我忘記自己在想甚麼了。」熙笑了一下，「但可以肯定，我沒有想起妳。」

Janice促狹地笑笑，「這是否表示，當你不是上床的時候，就會想起我？」

熙沉默半晌，他想起老半天神不守舍的自己，他含糊地說：「我會想起妳跟別人上床的模樣。」

「你妒忌了？」

「若我告訴妳，我真是妒忌了，妳會不做下去嗎？」

「若你告訴我，我會考慮。」

熙喝了一大口汽水，才把紙杯放下，直視著她雙眼說：「是的，我非常妒忌。」

Janice也凝視著熙，過了好半晌，她冷冷一笑，然後淡然地說：「你遲了。當你仍可勸服我的時候，是你放棄了機會，而現在，想後悔也來不及了。那是因為，由一開始，是你主動放棄勸服我的資格。一切已不能回頭。」

熙聽完她的話，眉宇間閃過一陣失望，但他只是說：「沒關係，只是給妳一個建議。」

「我就是知道啊，你剛才在作弄我。」Janice重新笑起來。

「我的演技也太爛了……真的，給看穿了。」熙皮笑肉不笑地掀一下嘴角，又拿起紙杯大口大口地喝，把視線轉移至窗外去。

總有些時候，
人會因為遲了一步而錯過甚麼。
可是，想深一層，
那些你爭取不到的東西，
其實從來也不屬於你。
這正是你總是錯失的原因……

第九章

但願妳不要責怪那個，值得我犧牲更多的妳

真正的信任是甚麼呢？

要不要相信一個人，

到底不是單單說一句：

信

或

不信

信任是一種彼此相處過後，

再經過歲月累積而成的人格資產。

真正相信一個人，

就是絕不懷疑……

金希與仰光恢復交往這件事，一直瞞著眾人，誰也不知情。

只因金希實在一時無法向旺財、Janice、熙等人清楚解釋，她為何會跟仰光和好。尤其對獲悉事情另一面的旺財，整件事就像羅生門。即使她替仰光辯護，對仰光一直窮追猛打的旺財只須反問一句：「妳相信他的話？妳相信一個殺了妳弟弟的兇手的解釋？」她便欲辯無從。

——然而，金希真心相信仰光。當她看完日昇的遺書，也聽過仰光描述整件事的經過，她心裡的疑團便一一盡消，執意要信任仰光。

事實上，要相信仰光並不難。她只須承認弟弟真是個狡猾無比的壞人便可以了——但這正是她一直想否認的事——然而，一旦她願意承認這一點，仰光所說的版本便變得屬實無欺，她對仰光的恨意亦難以延續了。相反，她感激仰光為了營救日昇所作的一切，即使這些努力到最後也付諸流水。

兩人在學校範圍內總是裝作不相往來，只有離開學校，兩人走到老遠，才

可偷偷摸摸地相約見面。

情況持續了幾天，金希已受不了這個安排，開始抱怨說：「我倆真像一對偷情的狗男女啊！」

「很刺激吧？」仰光自嘲。

「我恨不得向所有人大聲宣布，我們之間已經沒事了。」她苦笑說：「不管大家會作甚麼反應，驚訝莫名也好，祝福也好，生氣也好，即使竊竊私語，甚至想撞牆死掉也好，又與我們何干啊？」

「話雖如此，但我在這一刻，仍是諸葛囧的黨內一員，而妳也領著旺財、Janice和熙。假若我倆公開了關係，我的身分就變成兩邊不討好的騎牆派，我又該如何自處呢？」仰光分析著說：「我也希望脫離他們，但這並非一朝一夕的事，我需要更多時間去處理。」

金希明知那是事實，但她的神情仍不禁有點氣餒。

仰光亦知道金希失望，為了安慰她，他決定告訴她一個計劃：「這幾天，我一直想著一件事。」

金希看到他滿肚密圈的樣子，問他想著何事。

「我在想，我們何不一同去外國讀書？」仰光難掩興奮地說：「我們離開這裡，一起遠走高飛，去一個沒人認識的地方，輕鬆安靜地讀讀書，度過三四年後，再決定將來的去留。」

見金希沉默下來，仰光便知道自己的如意算盤打不響。過了幾秒鐘，她反問他：「去一些不屬於我們的地方，真是好事嗎？」

「我從來不覺得這地方屬於我們。」仰光聳聳肩笑了笑，「在地球上，我們只是過客而已，不是嗎？」

「但是，我恐怕無法適應外國的生活……」她如數家珍地說：「我的英文爛透了，連電視劇也看不懂……」

「嗯，我倒沒考慮過這些問題，讓我再想一下。」其實，他已深入想好了一切：外國總有唐人街，上網也能看香港電視劇。但看到金希說出一大堆推搪的理由，也就甚麼也不反駁。

因為他知道，真正的原因，是金希根本不想離開。

這時候，仰光的手機響了，他看看來電顯示，是Angel的來電，他示意金希切勿說話才接聽電話。Angel對他說：「仰光，我們正在卡拉OK，你何時會到？」

仰光看看金希，只得說：「你們在唱歌嗎？我今天不來啦，下次由我請客！」

Angel哼了一聲，「我今天十八歲生日啊，你真的不來替我慶祝？」

仰光驚訝地說：「我為何不知道？」

「因為你這個人無心裝載！」Angel笑著說：「大家都到齊了，你也該到

吧。」

仰光在心裡嘆氣，一位生日的朋友親自邀約他出席，這件事已經有夠荒謬了，他只得為了自己的失誤而爽快答應馬上趕去。

本來準備跟金希吃晚飯的仰光，只得向她老實解釋情況。

金希突然瞪著他問：「怎樣？你喜歡了Angel嗎？」

仰光作了個想嘔吐的神情，沒好氣地說：「金希姐，妳不要搞笑了，Angel有男朋友啦，就是跟她同班的那個藍……藍……藍山？忘了名字囉。」

「你連她有男友也知道啊？」

仰光哭笑不得，女孩子要妒忌起來，可真是不可理喻吧。

「我真的不可以一同出席嗎？」她又問。

「我們那黨都是壞人啊，我們可能會一邊唱歌，一邊吸食大麻啊，難道妳要負責在門外把風嗎？」仰光笑著哄她，「這樣吧，我去應酬那麼兩個小時，

回頭再跟妳吃飯？」

「那麼，我餓著肚子，你也不要吃東西……也不准吸大麻！」金希悶悶地說：「我一邊逛街一邊等你。兩小時？」

「兩小時。」

金希看看手錶，「現在開始計時！」

仰光吻了金希的臉，認真地叮囑：「一切小心。」

「我會小心。」

他匆匆跳上停在路邊的計程車，直赴卡拉OK。他轉身看看在街上閒蕩的金希，只覺無可奈何。事實上，他大概比她更希望能攜同她出席。

可是，金希不知道的，是仰光在眾人面前刻意與她保持這種疏離的關係，其實還有一個更重要的原因。因為上次那宗交易搞砸了，水壩絕對不會如此輕易罷休。從他對付金日昇的方法便略知一二，他可能會秋後算賬，甚至半點不

留情地趕盡殺絕。

仰光不想把金希拖進可怕的深淵，只得小心翼翼地與她保持距離。他寧願她不知道事情的嚴重性，免得她陷進每分每秒的提心吊膽中。

在卡拉OK裡，諸葛囧、高顴骨、雄霸和仰光一同替Angel慶祝生日。她那個姓藍的男友避席了，好像說在晚上才替她慶祝，大概是怕這裡變成迷幻派對吧。

Angel心情亢奮地說：「我今天十八歲，終於可以做成年人做的事了！」

「我相信，成年人才能做的事，妳全部都做過了。」雄霸不忘揶揄她：「所以，妳應該懷舊一下，做一些未成年才做的事。」

Angel微笑著說：「雄霸……呃，不，黎加拉瓜大瀑布，今天是我生日，你不是想變成你的死忌吧？」

雄霸吃吃笑，「殺人是未成年和成年後也不該做的事！」

這邊廂，諸葛囧正唱著一首演唱會版本的歌曲。那男歌手以震音聞名，諸葛囧震得連喉嚨也幾乎斷裂，仍拉不上愈升愈高的音調。旁邊的仰光拿起米高峰助他一把，兩人有默契地互視一眼，但彼此都唱得頭痛。雄霸也加入戰團，五音不全的他把全曲水準也拉低了，但雄霸就是唱得非常享受，讓仰光和諸葛囧直瞪眼。

高顴骨全程保持著他冷酷的作風，坐在一角不唱歌，只用房間附設的電腦上網。他看的是一個討論區，網民在你一言我一句地討論霍金的宇宙觀，教高顴骨看得目不轉睛。

Angel被各自玩樂的他們冷落了，尤其那三大男優，彷彿要把整場演唱會重演一遍！她不滿地說：「你們這群可惡的宅男，今天是本小姐生日呀！我不是應該收到生日蛋糕的嗎？你們連『生日快樂』也不懂說一聲啊？」

三個可惡宅男瞅了Angel一眼，便繼續各自作樂。Angel由發嗔變成真的生氣了，當她執起手袋離開，諸葛囧卻透過米高峰喊道：「Angel，等一下！」

走到房門前的Angel滿面怒意地轉過頭，電視突然響起生日歌。諸葛囧微笑起來：「十八歲的美女，我們可沒忘記妳啊！」三人高唱生日歌，高顴骨也象徵式拍掌附和。

短短一曲唱罷，Angel的驚喜還沒完。一早合謀的服務員推門而進，Angel看到他手上捧著一個以她最愛的Miffy為造型的大蛋糕，她雙眼瞪圓了，感動得無以復加。

這時候，熒幕上出現第二首生日歌，仰光看傻了眼，他問：「誰點了日文版的生日歌啊？」

雄霸舉手說：「我是AV達人，略懂日文。」他充滿感情地引吭高歌，聽起來卻半點不像日文，倒像給嚴刑折磨得連聲呻吟的慘情男。

各人笑得差點迸出眼淚來，Angel衷心對大家說：「這個生日真難忘，真太感激大家了，我還以為你們會笨得毫無表示啊！」

諸葛囧恰如其分地說：「妳笨得在生日也抽出寶貴時間給我們，可見妳亦重視朋友，我們怎會毫無表示？」

雄霸舔舔唇，磨拳擦掌地說：「妳也該回禮，給我們擁吻一下！」

Angel尖聲問：「你何時變了外國人？」雄霸告訴她，他有疑似十六分之一的法國血統。

仰光給各人的舌劍唇槍笑彎了腰，就在這時候，他的手機響起，他看看是金希的來電，只得苦笑一下，心裡想，至少還有一個小時吧！他走出房間外接聽，電話那頭卻不是金希，而是一個男人深沉的聲音：「若你還想再見女友，半小時內來找她。超過半小時，每過一分鐘，她身上會減少一個器官。」男人給了他一個位於偏僻工廠區的地址後，便馬上掛線。

仰光折回房內，不動神色地對大家說：「我有些事要先走了，你們繼續玩吧。Angel，祝妳生日快樂！」當他欲要離開，Angel從身後喚住他：「仰光，發生甚麼事了嗎？」

「沒甚麼。」他佯裝若無其事，「我只是趕去看電影，約了朋友但忘掉了。」

「你和朋友看哪套電影？」

仰光呆住了，他根本不知道最近正上演甚麼電影。

Angel看著仰光，笑說：「沒關係啊，我恰巧想看電影，現在結賬，大家一起去吧。」

仰光終於屈服，他跌坐在長沙發上，有氣無力地說：「水壩抓了金希。」

他把整件事快速向眾人交代一遍。

Angel說：「你丟了水壩一大批貨，我們就知道事情不會就此完結。」諸葛

囧和雄霸也點頭同意，諸葛囧對他說：「我們一起救金希！」

仰光愣了片刻才說：「你們沒必要以身犯險。」

「我今天生日，誰能阻止我做任何事？」Angel驕橫地說。

這時候，雄霸也開口了，「我們是一黨啊，兄弟有難也見死不救，傳出去怎好意思混下去？」

失了主意的仰光，心裡開始動搖，時間不多了，他咬咬牙說：「好吧，我們一起去。」

大家迅速準備起程，也沒理會一直坐在電腦前、一副冷眼旁觀的高顴骨。大家皆知他對仰光素有心病，早沒預他的份兒。但此時高顴骨卻站起來，說了一句：「我不去，反而有破壞那宗交易的最大嫌疑。」四人相視一眼，便一起出發。

金希轉醒過來，只見自己正身陷一個鐵籠內。那個鐵籠有一陣濃濃的血腥味，大概是曾經困過豬牛之類的動物。鐵籠不算大，高度只夠金希半跪半坐，而且籠外上了鐵鎖，在籠裡的她根本沒有逃脫的可能。

她雙手抓緊籠子的鐵枝猛烈搖動，但它實在牢不可破。她向籠外四周張望，只見這裡像個廢置的工廠，周圍空曠荒涼，十多個看來不好惹的男人，正用看著一頭待宰羔羊的眼神緊緊盯著她。

頭痛欲裂的金希，因恐慌而一下子清醒過來，憶起剛才發生的事。她跟仰光道別後，獨個兒悶悶地逛街，當她走過一條狹窄的橫街時，一個迎面而來的男人突然用手巾按住她口鼻，她的意識變得模糊，最後印象是有一輛小型貨車駛到她身邊，男人把半昏迷的她拖進車廂。整個過程乾淨俐落，大概只要十秒鐘。

當金希對自己的處境接近絕望之際，工廠的鐵門被打開，只見仰光、諸葛

囧、雄霸、Angel和高顴骨被幾個男人挾持著進來。仰光看到身在鐵籠內的金希，心裡不禁倒抽一口涼氣，但只是對她安慰地笑笑，而金希也堅強地點一下頭。

就在此際，一把亮如洪鐘的聲音響起。咬著漢堡包的水壩，不知從哪裡冒出來，遠遠地說：「仰光，我只是邀請你一個來，怎麼變成聖本心書院開放日，所有人都來了？」

諸葛囧替大家回應：「雖然仰光搞砸了交易，但他是我黨的成員，我們也想求個明白。」

水壩向他直豎姆指，「很好！要是我多幾個像你這樣的手下，我很快便能統治宇宙了！」他把視線鎖定在仰光臉上，「我們言歸正傳。仰光，你快把我的貨交出來，我便放過你那可憐的女友，我們和平結束此事啦！」

「貨沒了，我已把它們沖進馬桶去啦！」

「我有手下監視著這宗交易，他們不相信啊。」水壩咬了一口包，沒趣地說：「我們就不能打開心窗說亮話嗎？幼稚園老師不是教導過我們，要以誠相對嗎？」

「我說的是實話——」

此話一出，押著仰光的男人猛地在他腹部揍了一拳，他痛得彎腰，雙手抱著肚子跪在地上。

「金錢會令人迷失，人迷失了就變得不老實啊！」水壩搔搔滿面油光的肥臉，慢慢地說：「我是個喜歡看懸疑劇集的影迷，不如讓我來猜猜，事情會否這樣呢？男主角仰光和女主角金希提早報警，讓現場佈滿守候的警察，兩人合演一場戲，裝成要去公廁毀滅罪證，那不就可以對水壩那隻肥膏說是貨沒了，已把它們沖進馬桶去了嗎？」他露出一個滿有把握的笑容，續說下去：「故事的真相是：男主角仰光身上根本沒帶貨，因此，他變得進可攻退可守。若他成

功了，就可以把整批貨中飽私囊；就算給警方活捉也不用怕，那只是一場美麗的誤會而已！……猜對了吧？我很有偵探頭腦吧？」

仰光掙扎著站起來，努力解釋：「貨真的沒了——」話未說完，水壩的手下已一腳大力踩在他背上，讓他重重摔到地上，嘴角冒血。

金希為了拯救仰光，只得大嚷：「這事與仰光無關，是他們黨中有人通風報信！」

水壩揚起雙眉，「真的啊？妳有甚麼證據？」金希告訴水壩，有人一直用手機短訊向她告密，好讓她活捉仰光。

「仰光交易的時間和地點，的確只有你們一黨人知道，那個出賣兄弟的人是誰？」水壩掃視諸葛囧、Angel、高顴骨和雄霸。

四人全都呆了，水壩的手下扣著各人的手臂，讓他們動彈不得。

「既然沒人承認，便一同受罪好了，給我扭斷他們的手臂。」

仰光看著幾名手下的手臂加強力度，他咬緊牙關地說：「不用了！我知道是誰幹的！」

水壩點頭讚許，「這件事可真峰迴路轉啊！既然你知道，就不要連累兄弟姊妹，告訴我啊！」

仰光環視著神情痛苦、手臂給扣著的眾人，他知道他們很勇敢，即使受苦也不哼一聲，也因此，他更必須還他們清白。

「那人就是我。」仰光看著水壩，「是我向金希通風報信。」

金希著急地叫：「仰光，你在說甚麼，你會死的！」

仰光看著鐵籠中的金希，他知道她今天必定逃不掉。他對她微笑說：「手機短訊是我傳給妳的，我就是那個神秘人。」

「甚麼？」她大聲喊，她聽到自己的聲音在空曠的室內迴響。

「因為，我知道妳想我死，才會預先向妳透露我每次交易的情形。」他

說：「我隨時準備好被活捉，只要是經由妳的手將我逮捕。讓我前途盡毀，也許能補償妳失去弟弟的痛楚。」

金希真的愣住了，到了這一刻，她才把一切弄清楚。那個把仰光視作共同敵人的神秘人，就是為了滿足她復仇心理的仰光！

仰光轉向水壩求情：「這件事只是我自作主張，金希根本不知情，請你放過她！」

水壩滿臉苦惱地問：「你們你一言我一語的，簡直是蛇鼠一窩，我怎相信才好呢？」

金希光火起來，怒瞪著水壩說：「放屁！就是你迫死我弟弟吧？你要怎做就儘管做！」

水壩臉上帶著委屈地說：「胡說！我沒有迫死他，是他自己想不開，魯莽地走去玩跳樓而已，難道我要每天為他張開救生網嗎？」

仰光瞧見水㶉神情有點動搖，他說：「無論如何，金日昇始終是死掉了，請你放過他姊姊，這件事由我負全責就好！」

「我是個商人，只想輕輕鬆鬆做生意吧，我最討厭傷害人，尤其是女人和小孩！」水㶉搖搖頭，「但這是一宗大生意，如今搞砸了，我實在沒法向我那個交易的拍擋交代。仰光，你就留下一條臂給他，沒問題？」

仰光冷靜地說：「沒問題。」

金希不禁心寒，咆哮著說：「到了這時候，你還扮甚麼大慈善家？要砍就砍我的臂好了！是我弄砸了交易──」

「金希，住口！」

「仰光！」

「馬上給我住口，妳這個女人有沒有再煩一點？我受夠妳了！」

仰光向金希大聲怒吼，她卻發現他雙眼裡有著深沉的溫柔。她要用力咬著

下唇，幾乎咬得滲血，才不讓自己發出聲音。

水壩的手下拿出大力剪刀，一步步走向仰光。金希見過這種剪刀，就是那次她想取回仰光棄置在街上的單車，只得叫五金店的店員幫忙，店員把單車鎖一下子便剪斷，所用的就是這種大力剪刀。

兩名手下把仰光壓在地上，拉起他的左臂，另一人拿著大力剪刀，把兩邊鋒利的刀鋒箝在他的手肘關節。只消他的兩手一合，仰光的手臂便會與身體正式分家。

在這千鈞一髮的一刻，諸葛囧竭盡最後努力，苦苦哀求：「水壩，請你放仰光一馬，我們一黨人可以將功補過，無論免費給你幹多少年也可以，直至賠償你所有損失為止！」

一直冷看整件事的高顴骨，看著身陷險境的仰光，倔強的他竟也開口：

「是的，我們的業績一向良好，仰光想也受了教訓，不敢再犯同樣錯誤，請你

再好好考慮。」語畢，他雙膝跪下，諸葛囧、Angel和雄霸見狀，亦馬上作出同樣行動，向水壩下跪請求。

仰光雙眼紅了起來，這一剎那，讓他感到奇怪的是，他不替自己擔憂，只為了這黨人拯救的舉動而動容。尤其，與他一直處於敵對緊張狀態的高顴骨，在這危難關頭也不計前嫌，拚命要拯救他。

「討厭！討厭！我最討厭見到這種討價還價的場面，如果我還是無動於衷，便等於我家養的紅耳泥龜了！」水壩雙手掩臉，好一陣子才放下手，就像決定去哪裡吃飯般，輕描淡寫地對仰光說：「好了，我給你最小的懲罰——這是最後決定——我只要兩根手指。」

此話一出，那手下便把大力剪刀從仰光的臂彎抽離，兩個壓著他的男人也退開，其中一人把一把萬用刀拋到仰光跟前。

仰光把萬用刀撿起來，親手割斷自己手指這件事實在很殘酷，但為了把

金希救出險境，他知道自己有這種勇氣。他把刀鋒貼在尾指根部，正想爽快解決，金希卻大喊：「仰光，你過來，我有話對你說。」

仰光慢慢走到鐵籠前，金希把頭上的紫色假髮拉下來，露出被她剪得亂七八糟的短髮。隔著冰冷的鐵枝，她努力想把手指伸出去，臉帶微笑地說：「萬用刀給我，我失去手指也沒問題。」

仰光卻笑著搖頭，「別過臉去，我不要妳看。」

「沒有手指，你不能再彈琴了。」

「那麼，我教妳彈琴。」

金希雙眼紅得恍如出血，她說：「那麼，給我看。我要親眼看到你為我做的。」

仰光堅定地說：「要是這一次大難不死，我們遠走高飛吧，這就是我倆的命運。」

「從此以後，你的命就是我的命。」她毫無轉圜餘地的說。

仰光右手用力一揮，刀片劃開左手尾指，整截斷開。

欲救無從的諸葛囧等人，別過臉不忍看下去。就只有金希一直目不轉睛地凝視著，就像恐怕遺漏任何一個小片段。她一直沒流淚，在她心中，她正觀看著一場血祭，而她就是仰光專屬的神。

仰光斷指之處血流如注，鮮血瞬即流瀉在地板上，形成了一個小水窪。

他臉色頓變慘白，正要拿起萬用刀，開始自殘第二隻手指之際，外面突然傳出一下石破天驚的聲響，一陣白色煙霧冒起，工廠的鐵門整道倒塌下來。當所有人還沒來得及反應，一隊警察衝鋒隊已掩至，迅速控制現場。水壩的手下被懾服於槍下，只得策手就擒。

可是，在水壩本來身處的地方，只有那吃剩一半的漢堡包，不見了他的影蹤。

如果為了保護妳，
必須傷了我自己，
但願妳不會責怪那個，
值得我犧牲更多的妳……

第十章

我找到了，永遠跟妳在一起的方法

要是我斷了掌，
請妳來當我的臂。
若妳失明了，
我會為妳捐出一隻眼角膜，
彼此半盲的互相扶持。
愛用不著證明，
真正要證明的是，
即使妳從來沒有我愛妳的證據，
也能感受我深愛著妳……

經過手術急救後，仰光的斷指幸被駁回。雖然活動能力將不復以往，但他一直表現得堅強樂觀。留醫一星期後，在他準備出院的早上，不屬於探病的時間裡，一個人突然出現在病房，讓他目瞪口呆。

身穿整齊警察制服、頭戴警帽的雄霸，走到他的床榻旁，神情竟有點靦覥地說：「仰光，你好嗎？」

仰光太過震驚，語無倫次：「雄霸，冒充警務人員是犯法的，你不怕被警察逮捕嗎？」

「我是警察！」雄霸聽到仰光這話就笑了，「我是警方派去聖本心書院的卧底，最終任務是接近操控全港最大毒品市場的主腦水犡，希望搜集足夠罪證後，可把水犡他們一網成擒。」

直至這一刻，仰光才恍然大悟，為何在最危急關頭會有警察趕到。原來，一直有個警方卧底在裡應外合，只待伺機出擊。

「最後抓到水壩嗎？」他很關心這個問題。

雄霸失望地搖搖頭，「破門而入的一刻，他已在手下的掩護下，從一條地底秘道逃脱。」他頓一頓説：「雖然如此，這總算是我們最接近水壩的一次。我們拘捕了他幾個重要的手下，並起出數量驚人的毒品，這已對他的集團造成巨大打擊，他想東山再起，只怕是長遠以後的事了。」

仰光很高興自己總算為日昇出了口氣，滿足地笑了，「那麼，我會獲得好市民獎吧？」

「你應該得到的。」雄霸看看他包紮著的左手尾指，內疚地説：「很抱歉，如果我的同僚早一步到達——」

仰光揚揚右手，打斷他的話。他感激地説：「我只想感謝你們救了金希。我倆連累水壩損失不少，水壩不會那麼容易放過我們吧？」

雄霸釋懷地笑笑，「好了，這宗案件算是告一段落，我在聖本心書院的任

務也完成了。我要自動消失一陣子，或許會再滲入另一家學校進行新任務，只希望下次不用做惡霸吧！」

「有點難度吧？只有愈殘暴兇惡，才愈接近惡人，這叫物以類聚。」仰光看著雄霸，即使警察制服非常帥氣，但他看來始終像個穿起大人衣服的小童，甚有喜劇效果。老實說，以他中學生的容貌和身高，實在太適合混進學校當卧底了。仰光說：「假如能夠選擇，與其扮演一個被踢入會的可憐好學生，倒不如做個壞事做盡、拍校園欺凌短片的壞學生更好。」

雄霸感慨地說：「仰光，我是看著你進這家band 3學校的，你已經由一個書呆子，變成洞悉力超強的人了。」

「我不是自願的。」

這時候，護士開始巡視房間，雄霸對仰光說：「我要走了。我不能向任何人透露身分。」

仰光當然明白，雄霸只是私底下來探望他吧。這位完成任務的警員，將會在聖本心書院永遠消失。他問：「你需要我跟諸葛囧他們說甚麼嗎？」

雄霸的神情一陣落寞，卻用平淡的聲音說：「甚麼也不用說，就當我這個小惡霸惹了禍，給甚麼大惡霸在山上埋了吧。」

仰光點一下頭。他知道雄霸也不捨得眾人，這夥人實在是壞得太有情義了。

只有最後一個問題，他總得知道：「我知道這是機密，但我真想知道你的姓氏。」

「黎加拉瓜大瀑布，裡面真有一個是我的姓。」

「哦，那我知道了。」仰光把手放到額邊，向他肅然敬禮：「再見了，『大』警員。」

「再見了，仰光同學。」雄霸也對他敬禮，「祝你有更美好的將來。」

「謝謝。」

「加入警隊，為市民服務。」他不忘宣傳。

「嗯……我不給警察添麻煩，便已天下太平。」

兩人在微笑中道別，仰光看著步出病房的雄霸，只覺得這世界荒謬不已。雄霸可算是他在聖本心書院最受不了的惡人之首，但他的真正身分卻是正義凜然的警察。他覺得自己彷佛身處一個恐怖化妝舞會中，忍不住哈哈大笑。

護士們皆用奇怪的眼神看著他，他一直想停止笑聲，但反而愈笑愈響亮，笑得眼淚也迸了出來。

傍晚時分，旺財步出一個幫助流浪貓狗的慈善機構門外。他聯同幾名義工，用了老半天在大街上向途人募捐，並向他們解釋籌錢替流浪動物絕育的重要性。

很多人卻像怕他染上瘟疫似的故意避開，更有人直接大罵：「人家一頭狗流浪關你屁事？你不去好好讀書？」或「你們是在巧立名目騙錢吧？」儘管如此，他仍是臉帶笑容，努力向途人解釋和證明。也有些熱心市民慷慨解囊，並鼓勵他說：「少年人，你真有愛心，請加油！」他為了支持他的大家而加倍起勁，在寒冷天氣下呵出一口又一口白霧，終於籌集到為數不少的款項。

走在大街上，義工們提議一同吃晚飯。旺財說聲抱歉，因為他這天要趕去夜校上課，眾人只好臉帶欣賞地與他道別。

夜校水電課程的上課時間快要開始，旺財又冷又餓，惟有跑進麵包店買一條長長的法包，準備邊上課邊吃。夜校裡有各種年紀、各個階層的人，但大家同樣懷有希望善用時間學習的心，因此導師們從不阻止學生在上課時吃東西。

當他趕到夜校大門前，一個他意想不到的人出現了，是珠珠。

本來疾步如飛的他，腳步放慢下來，一步一步走近她，停在她面前。他不

知道珠珠怎會找到他，更加不知她的來意。

兩人對視好一陣子，一直板著面容的珠珠率先開口，呼著白霧地說話。

「你知道我會來找你嗎？」

「我不知道。」

「你認為我會一直等你嗎？」

「我不認為。」他老實地說。

「那麼，你不打算回應我的問題了？」珠珠臉上閃過一絲失望，「你根本不會為我去找任何愛的證明。」

旺財頓了一下，簡單地說：「不，我找到了。」

珠珠深深凝視著他，他看出她眼神裡的懷疑。

旺財扼要地告訴她，關於他經歷的那場可怕車禍——也許，他只是一個在意外現場幫忙救助傷者的人，可是，他覺得自己彷彿已成為巴士內其中一名傷

者，雙手染滿了不知是自己、抑或其他人加起來的鮮血——他也眼睜睜地看著那個男人，在他女友懷內，由生存到停止呼吸。

「原來，每對情侶總要用所有時間否定愛，只有在臨死的一刻，才能證明愛的存在。」旺財看著珠珠，眼裡有種她前所未見的悲天憫人，「那麼，就算得到愛的證明，又能證明甚麼？」

珠珠無法解答他的問題，她的表情卻由失望慢慢變得絕望。

旺財低頭看看手錶，上課時間已經開始了。他很著緊這一課，導師在上一課完結時預告這一課會學修理風扇，他真的不想錯過。

可是，他看著珠珠，他不忍心讓她帶著希望地來，卻無望地離去。

終於，他還是說出了幾年後才有可能跟她說的話：「珠珠——」

「甚麼？」她失神地看他。

「如果妳必須知道，那麼，讓我提早告訴你，關於愛的證明——」他說：

「只屬於我對妳一人的，愛的證明。」

珠珠抖擻精神，直視著旺財。不知恁地，她感覺到面前這個旺財不同了，已經不是過去那個旺財。所以，她已不可能預計到他會說甚麼。

「愛的證明，不是找回來，而是豁出去。」旺財指指自己胸膛說：「我這個人本身，就是愛的證明。」

珠珠不明所以地直視著他。

「這陣子以來，我一直在為自己的人生而努力。這種話說來輕鬆，但知易行難。」旺財垂頭，一邊在他那款式平實的書包裡翻出甚麼，一邊說：「所以，我嘗試了很多連想也沒想過的事情。好像我學懂了急救，我在想，萬一妳突然暈倒要怎辦？鯁了魚骨又怎辦？我要眼白白看著妳死嗎？我也學懂了煮菜，因為我已受夠妳那頂史迪仔浴帽，也受不了妳的手臂經常被熱油弄痛啊！還有的是，我正在學水電維修，只要學懂了，也許就能保障家居安全，不會換

個燈泡也害怕觸電而死吧！」他掏出一個文件夾，遞給珠珠。她打開來看，裡面都是急救課程、廚藝班、食物營養、按摩推拿等考試畢業證書。

「原來，所謂愛的證明——」旺財凝視著珠珠，用堅定的語氣說：「若不希望為自己所愛的人當場死去，就必須為對方精彩地活著。」

「你剛才說，提早告訴我的意思，就是我必須等上三、五，甚至十年嗎？」

「我需要努力，但努力也需要時間。」

「你可以忍受沒有我的生活？」

「不，妳在我的生命內啊。每分每秒也在啊。」他說：「我比之前任何一刻也渴望活在這世上，而我渴望活著的唯一原因，只是由於——」

旺財溫柔地看著她，笑了，「我知道，妳也正在活著。」

珠珠眼眶裡浮起一抹淚水，「那麼，我明白了。」她把文件夾交回他手

中，迅速轉身離去。

他靜看她的背影，直至消失不見，他才咬緊牙關，奔進夜校門口。

上課的時候，當他一邊咬著麵包，一邊看著導師派給他的筆記時，課室響起一陣叩門聲，旺財偶爾抬眼一看，是珠珠。她向導師報告，說自己剛報讀這課程，導師歡迎她加入，但告訴她這已是第三課，要找同學幫忙將上兩堂課所教的東西説一遍，她笑著説沒問題。

就在旺財張大了的嘴巴還未合上之際，珠珠已坐在他身邊的空位。

他呆著問：「妳怎麼來了？」

「我也想學水電維修啊。」她說：「我也要保證自己在這三、五，甚至十年內，不會換燈泡時給電死啊！」

「哦。」

她看著他的憨態笑了，「這位同學，你有沒有上兩堂課的筆記？可以給我

講解重溫一下嗎？」

「哦，沒問題。」他終於有點反應。

她從書包裡拿出剛買來的兩包熱維他奶，放在書桌上，嘮叨地說：「你不懂照顧自己，乾啃麵包不喝水，不怕哽死啊？」

「謝謝妳啊。」

「對了，我餓壞了，可給我一點麵包嗎？」

旺財毫不吝嗇地撕開半條法包給她，她吃得津津有味。旺財斜眼看她，心情慢慢由驚訝轉為驚喜，他突然自覺不能集中精神上課，連忙把視線轉回筆記上，然後發現那個電風扇的內部平面圖愈看愈複雜。

雖然課室已關上所有門窗，但寒意仍像無孔不入。旺財忽然感到桌下的手心傳來一陣熱暖，全身如遭雷殛般一震。珠珠在他身旁說：「不用那麼大反應，我只是想給你暖蛋。」他卻像急於抓緊甚麼似的，把暖蛋和她的手握住。

兩人佯裝若無其事地聽課，在桌下的兩隻手，卻緊緊地牽住了。

Janice心裡矛盾了好一陣子，才踏上油麻地一幢商住兩用唐樓。當她按下門鈴，有一種終於還是回來了的感覺。相貌慈祥的六嬸打開木門，看到門外一臉落寞、軟弱無力的Janice，她大概也猜想到發生何事，臉上流露一種心疼的表情，趕快打開鐵閘讓她進來。

在以木板間隔的房間內，Janice脫掉全身衣服，伏在白色的床上。六嬸看著她背部佈滿傷痕，似乎是給皮帶綁縛、鞭打過的瘀黑，又有被指甲抓傷的血痕，在她腰側還有一個擠熄煙蒂留下的烙印，令人慘不忍睹。六嬸聽著Janice告訴她最近發生的事，默默替她療傷。Janice強忍著苦楚，一直不發出痛苦的呻吟。

當Jancie把話說完，六嬸只是簡單說了句：「我見過很多女子，為了男人脫

離原本的生活，但最終又是為了男人再深陷回去。」

Jancie裝作輕鬆地說：「那麼說，我總不會是最慘的一個吧？」

「如果同一件事發生兩遍，我就不會添加意見了。」六嬸對她說：「我只會要求她們一件事。」

Jancie側過臉看六嬸，她會要求她做甚麼呢？她會勸她不要再幹下去嗎？改過自新嗎？

「我只會要求，如果她們覺得痛，便儘管喊出來，不可在我面前逞強。」

Janice用力點點頭，表示自己明白了。

六嬸拿出生理鹽水和棉花，小心翼翼地替Jancie背部清洗傷口。那個被煙蒂灼過的傷口已開始發炎潰爛，當棉花觸及傷口時，劇痛傳遍Janice全身，她抓緊床單，初初只發出低沉的呻吟聲，繼而放聲大叫，要把心裡的痛楚用眼淚瘋狂釋放出來。

好像裝了半輩子堅強的她，終於崩潰地失聲痛哭。

完成包紮的六嬸也已淚流滿臉，她輕撫著Jancie的長髮，拍拍她的肩膀說：「阿女，不要再信任男人了，更不要把自己的幸福交託到男人手上。有生之年也不要，女人還得靠自己活下去。」

Janice像受盡委屈的孩子，躲進母親懷內慟哭，一直哭下去。

當金希得悉Jancie繼續做援交的事，她簡直怒火沖天，馬上找熙來興師問罪。

「你不是說過要照顧Jancie嗎？」金希把熙像一個犯了彌天大罪的小孩般痛斥：「既然如此，Jancie所做的一切，你也要負上責任！你看看，你卻把Jancie弄成怎樣？」

兩人甫找了一家雪花冰店坐下，金希已急不及待痛罵，熙只是一直默默看

著餐牌。金希說：「你到底有沒有聽我說話？」

「我們先點食物，好嗎？」

「吃甚麼要緊嗎？」熙看似漫不經心的態度，使她更光火，「你知道甚麼才需要著急嗎？」

「妳口中所謂的著急，也已經太遲，急不來了。」他用深邃的眼神凝視金希。

這一次，輪到金希靜默下來。

這時候，笑容可掬的女侍應走到他們的一桌，問他們要吃甚麼。金希沉著臉對熙說：「隨便吧，由你代我決定吧。」

熙便向侍應點了兩個雪花冰，金希等侍應離開，便一直牢牢盯著熙，熙卻像想起甚麼似的，微笑著告訴她：「我跟Janice經常來這裡，我剛才點的雪花冰，就是我倆常吃的款式。」

「熙，你愛Jancie嗎？」金希懷疑地問：「又或者說——你愛過Janice嗎？」

熙靜默了整整半分鐘，才開口說：「在短片給報紙散播開去那天，Janice曾經問過我——」

金希交叉兩手於胸前，靜待他說下去。

「她曾經問過我，假如，那段床上短片是我前女友所拍，我會怎做？」他說：「她告訴我，我應該介懷的，我也會介懷得馬上離開那個女人，將她棄之不顧。若我不介懷，只代表我不夠愛她。」

這時候，侍應送上兩個造型漂亮的雪花冰。金希可以幻想Janice高興地吃著的表情，她感到更難受。面對熙冷漠似的冷靜，她滿心不安地問：「那麼說，你真是不介懷？」

「不，正好相反——」熙看著那兩碟雪花冰，他用鐵匙子舀起Janice最喜歡

的士多啤梨冰來吃一口，感到四周充滿Janice的氣味。他抬起眼看金希，忽爾悲慟地道：「原來，我真的很介懷，我相信自己已足夠愛她了……所以，我也介懷得離開了她……」

金希呆呆地看著熙，再也說不出話來。

熙與金希見面那天的深夜，他再也抵不住寂寞，致電給他問：「你在做甚麼？」

電話那邊的他只是說：「有空出來一趟嗎？我一個人很悶。」兩人相約在那個本日航班已停航的碼頭。

熙在便利店買了半打啤酒前去，發覺他已抵達，手中也有半打啤酒。兩人不約而同買了同一個牌子，彼此就在鬼域似的碼頭旁席地而坐，四條腿懸在半空，掛著麻繩的渡輪就在不遠處的海面飄蕩。

「剛才，金希問我，我對Janice的感情是真是假，我回答不出。」熙看著

他，「我不是不想回答，我只是——從來也分不清哪個是自己。」

他憐惜地看熙，耐心聽他抱怨，如同他上一次和再上一次的滿腔怨言。他也知道，只要做個單向的聆聽者便足夠了，即使他還是可以告訴熙，建立在假情之上的真意，從來也談不上虛實。

熙不斷愛上別的女人，以證明自己是個正常男人，可是，這種事就像天生的殘缺，無論你找多少個比你更殘缺的人來安慰自己，終究還是被佔地球人口大多數的正常人所唾棄。

而熙就是一直想證明自己是正常人，到了最終，卻偏偏反證自己連正常人的邊也攀不上，以至他更覺得自己比誰都不尋常。

熙明顯有醉意，說話有點溫溫吞吞：「我還記得，那天是Janice給人包養前的一天，她想買幾件衣服討好那男人，她試了很多件，每件也穿得很漂亮。但我感到妒火中燒，不斷找挑剔的地方。最後，她放棄了，告訴我，她每次只

會在酒店房間內等他，絕大多數時間也不必穿衣服吧？我在那麼一刻，只差一點，真是只差那麼一點點，我就會開口……」他沉默了兩秒鐘，把一口啤酒灌進喉嚨，才說下去：「我會對她說：『妳不要幹這些！妳不必為一個女人幹這些了！』……但我壓抑著自己，就像把所有情緒壓縮成密不透風的罐頭，而我必須把開罐頭的刀拋得老遠，把她揭開真正的我的證據都消滅……我竟為了保護內心的那個她，寧願犧牲Janice！」

他聽得心酸，但他想堅守己任，做個稱職的神父，專心聽他告解，並以上帝的名義赦免熙的所有罪。他唯一要做的，只是替熙再掀開一罐啤酒的蓋掩，再粗豪地遞到他面前，若干啤酒從罐內晃出，沿著罐身流下，他也不管。他舉起自己那罐啤酒，豪邁地喝，熙也被他感染，仰頸便把酒直灌下去。

熙的酒量本來就很不濟，憂愁時飲酒更容易醉。當他放下空罐子時，整個身子已搖搖欲墜，他怕熙會向前一倒，失去平衡直插水中，便輕輕握著熙的手

臂。熙無力地把身子靠向他，恍如要靠著在大海中唯一的救生圈。

人永遠只有在最脆弱時才會失去防範，也只有在這時候，才能做回真正的自己。

在他眼中，熙只是一個剛學行的小孩而已。他的心思看似複雜，但其實非常簡單，如果真正喜歡熙，就放任他好了。他親眼看著熙忙著跟一個接一個女孩離離合合，他卻永遠忙著準備安慰那個因離合而失意的熙。他心裡就是知道，無論是熙也好、他自己也好，不管第一次和第一百次，只要他知道你仍在等他，他一定會自動自覺回來。

諸葛囧接受了自己的使命，他只是不知道，熙到底接受了自己的宿命沒有。

為了遠赴澳洲留學，仰光和金希向校方申請退學了。最後一個上課天，仰

光感到依依不捨，他來這家band 3學校的時間不算長，連一年也不到，但這裡可供他回憶的事實在太多，與金希走在一起，也讓他的未來有了完滿的出路。

下課後，仰光踏出校門，一雙腳自自然然往學校對街的小公園走去。他真想念那一段石卵路，那是在外國難以找到的吧。當他擲下書包，脫掉皮鞋，腳板踩在石卵上，一下一下錐心刺肺的痛楚，卻讓他感到愉快。

當他走到終點，轉過身想拐回去的時候，卻發現起點處站著一個人，雙手插在褲袋，對著他微笑。他瞪大雙眼注視那個穿著黑夾克和窄牛仔褲的赤腳男生，感到乍驚乍喜。

兩個無論身高、神態和動作也相若的男生，就這樣踏在石卵路上，一直相視而笑，慢慢走近對方。走到路中央，兩人隔著那麼半個人的距離停下，仰光問：「霍品超，你回來了？」

「我知道你要離開，決定跟你再見一面。」

「你怎麼肯定我在小公園？」他感到奇怪。

「如果你有留意，這裡就是你由好變壞的地方。當你要重回正軌，最後當然會回來這裡，向自己承諾些甚麼。」

仰光聽到他的話，才回想起那個夜晚，他就是跑進這小公園找霍品超，並把學校的窗打破。猶如釋放了籠中的猛獸，就在那時候，他真正開始做回那個帶著劣根性的自己。

就像罪犯總愛回到案發現場憑弔或緬懷甚麼似的，霍品超總能道出他潛意識間的行為，教他無法不佩服。

——曾有一刻，仰光以為霍品超這個天才般的腦袋已經在世上消失。

仰光指指自己後腦，關心地問：「你頭上的傷已經好了嗎？」

「不礙事。」霍品超溫和地笑，「我從不相信因禍得福，但現在，我比誰都相信命運不可自控這回事。」

了。

仰光點頭微笑。他的人生經歷了很多怪事，但應該沒有一件比這個更怪異

兩個月前，一名持槍打劫銀行的匪徒闖入了聖本心書院，挾持著身在訓導處內的眾人。匪徒向警方聲明，每隔十分鐘會殺掉一個人質，直至警方釋放他四個被捕的同伴為止。

最後，霍品超成了首個走出來受刑的人，他鐵錚錚地走到匪徒跟前，眼中沒有絲毫畏懼。匪徒也不禁問：「你是個自告奮勇的英雄，抑或覺得自己是該死的人？」

「說不定，是你讓我在這個無聊世界裡獲得解脫。」他話裡帶著挑釁的意味，然後轉過臉，用一種接受行刑的方式跪在匪徒身前，把臉孔朝向仰光。

「仰光，不是說過，你要正視著我嗎？」

仰光雙眼溼潤了，他無法跟霍品超為赴死而相爭，只因霍品超剛才在他耳邊說：「我的絕症，叫絕望。我已選定在十七歲的最後一天自殺，雖然比原定時間早了一點，但我不怕。仰光，我視你為朋友，我真希望你能明白，一個由父親和姐姐所生下的雜種，那種生不如死地度過每天的感受。」

仰光太理解那種漫無止境的苦楚。他抬起雙眼，淚眼矇矓地直視著霍品超，「放心，我答應過在你的葬禮上宣讀悼辭，一定做到。」

「謝謝。」霍品超浪蕩地笑了。

匪徒把計時器重新啟動，提醒眾人：「十分鐘後，我會殺另一人，你們可以開始選了！」他迅速舉槍，食指扣下扳機，朝霍品超後腦開了一槍。一下轟雷似的子彈聲在房內不停迴響，霍品超像軟泥般倒下，鮮血從他頭顱汩汩流出。

仰光全身血液彷彿在瞬間凝結，當場痛哭起來。

就在此際，不可思議的事情發生了，那個用黑布蒙面、只露出一雙眼睛的匪徒，雙眼突然瞪得老大，像在找尋甚麼似的低頭查看。只見他左胸下的衣服，已多了一個子彈孔，彈孔周圍頓時像染了暈開的紅墨水跡，鮮血向四邊擴散開去。

他按著傷口倒下，到了氣絕的一刻，眼神仍是驚駭莫名。

房內眾人完全不知發生何事，這時候，只見倒在地上的霍品超的指頭微微動了一下，仰光馬上衝過去，只見霍品超被血水沾紅的眼睛竭力半睜，嘴巴微動，氣若游絲地想說甚麼。

「拜託……」

「咦？」仰光把身子俯伏到地上，悲痛地把一邊耳朵湊到他嘴巴前，聽他有甚麼遺言。

「拜託找個人……把手槍……踢開……你們這群……天才……」

接著，霍品超便合上雙眼，喪失知覺。

大隊警察衝進訓導處，證實匪徒已當場中彈身亡。霍品超被火速送往醫院搶救，奇蹟地救回性命，但醫生需要他留院好一段日子，以作詳細檢查。

聽到這個好消息，最高興的莫過於仰光。事後回想，霍品超的大難不死，其實一早有跡可尋。當然，誰都會忽略一些毫不起眼的小事，但當各種小事合起來，卻可能化成足以影響結果的大事。

是哪一次呢？仰光事後回想，應該就是那次在藥房內，仰光想買安眠藥，店員卻無聊得要他出示醫生紙，霍品超和他便合謀去偷。最後，仰光始終找不到合適的安眠藥。當兩人一踏出店門，防盜警報器突然鳴聲大作，仰光的心臟幾乎跳出體外。他神經質地說：「我沒有偷那些安眠藥！」

這時，兩個保安員已圍過來。霍品超乾笑一聲，從校服的暗袋裡掏出一樣東西，無可奈何地說：「是我。」

仰光發呆，滿以為霍品超偷了店內甚麼東西，不幸失手就擒，他卻拿出一張寫滿密密麻麻英文字的紙張遞給保安員，仰光瞄到紙張下方，是有醫生簽名的證明信。

保安員看過後，一臉抱歉地說：「很抱歉，我們誤會了你。」

「沒關係，那是你們職責所在。」霍品超爽快地笑了。

兩人走到大街上，好奇心滿瀉的仰光馬上問發生何事，他簡直覺得霍品超懂得施邪術。

霍品超笑了，「大力敲一下我後腦。」

仰光不明白，「你想變呆子，我也不想坐牢啦！」

他笑說：「試一下就好！」仰光苦笑一下，以中等力度，用食指叩他後腦一下，想不到卻痛得使他叫了一聲。

「搞甚麼，你是機械人啊？」

「我在小時候，有次跟父親打架，我摔破了頭，後腦頭骨裂了，由於情況緊急，醫生替我的後頭骨釀了一塊鋼片。」霍品超說：「從此以後，經過某些店子的門、過海關檢查等，警報器偶然會敏感得大鳴，我只得出示醫生紙，才能夠證明自己清白。」

仰光猛皺眉頭，「那不是很不方便嗎？」

霍品超沒好氣地瞪他一眼，「我可以不帶腦袋逛街嗎？」

仰光笑了起來，忽發奇想地說：「如此想來，你可以光明正大地偷竊啊！」

「說得也是，總沒有人敢向一個傷殘人士要求搜身吧！」他說：「可是，要拿傷殘人士來開玩笑，這些事我不想幹。」

仰光認同地笑笑，他就是欣賞霍品超這種邪中帶正的性格。

仰光看著眼前的霍品超，雖然兩人只是兩個月不見，但他有種恍如隔世的感覺，如果說聖本心書院還有甚麼令他真正留戀，不是說笑，一定就是霍品超。

仰光問：「我一直想知道一個問題，你給匪徒打那一槍，是否一早預料到有這結果？」

「不如這樣說——」霍品超給他一個模棱兩可的答案：「有時候，就算天機算盡，也敵不過天命這回事。」

仰光理解霍品超話裡的意思，即使他預計了結果如何，亦不代表事情就會如願發生。正如那個握槍在手的匪徒，任他想破腦袋，也想不到自己死得不明不白的原因。

他大概到了地獄也不會相信，他射向霍品超的子彈，會遭那塊鑲嵌在霍品超後腦的鋼片反彈，不偏不倚的穿進自己左邊胸腔的心臟！

這個時候，仰光的手機響起，他知道是金希的來電，有點不欲接聽。霍品超看到他那張尷尬的臉便微笑了，「如果你決定跟誰同行，就不要被不相干的人和事絆著你。」

仰光感激地點一下頭，接聽了電話，身在學校的金希跟大夥兒道別完畢，她問仰光去了哪裡？仰光說自己在附近的商場逛著，相約她五分鐘後在一家服裝店門口等候。聽說澳洲的冬天會很冷，兩人還要買些禦寒衣物。

仰光放下手機，他還有一件事放不下。他直視著霍品超問：「你不是說，在十七歲的最後一天，你便會自殺嗎？」

霍品超笑了一下，簡單地道：「我已經死過一次了，不是嗎？」

仰光聽著他保證似的話，這才真正放心下來。兩人彼此凝視，總像有一言難盡的感覺，可是，他現在明白了，兩人之間甚麼也不用多說，連那些祝福語和後會有期等話也不必提，只要時間到了，兩人總有機會再見。

終於，霍品超首先開口：「快離開吧。」

仰光咬咬牙說：「好了，我走了。」

目送著仰光在陽光下步出小公園，沒有再回頭，沒有像個軟弱的女孩般用戀戀不捨的眼神回望他，霍品超不禁輕輕地說：「再見了，世上另一個霍品超。」

然後，當他整個人輕鬆下來，忽然覺得腳底下劇痛，他在石卵路上站太久了。但他喜歡那種痛徹心脾的感覺，使他意識到自己仍真正活著。

趁上機前的空檔，仰光和金希在機場內的餐廳吃午餐，兩人買了不同款式的套餐，饒有默契地分來吃。從機場天花透下來的自然光，讓兩人也感到未來滿載希望。

縱是堅強的金希，雙眼還是有點微紅。旺財、熙和Janice堅持要送機，她

便相約幾個人去那幢舊工廠大廈的後樓梯送別。每次詐騙行動後，他們總愛在那裡分贓，她想去緬懷一下。自從日昇去世後，他們這群詐騙集團已名存實亡了。她叮囑每一個人要好好生活，各人也答應了她。

Janice和熙的分開固然使她傷心；旺財和珠珠的復合，又使她非常安慰。老實說，她一直擔心這頭小狗交不到好女友，他的性格比樣子要好得多，但女孩子總是先看外表，結識好一陣子才會看性格，旺財這次是走好運了。她相信愛情會改變一個人，而旺財徹頭徹尾的變了一個上進的人，沒有再為自己是真金打造的孫兒而自卑自怨。

這是金希首次乘搭飛機，想不到一去便是遠在地球另一端的地方。她昨晚徹夜難眠，心情極度緊張。當她向仰光談起旺財和珠珠如何幸福，心裡突然有那麼一點不安。她看著他問：「喂，詹仰光，你也能給我愛的證明嗎？」

「嗯？」

「珠珠希望旺財給她愛的證明，他真的給她浪漫的證明了啊！」

「哎呀，又是那種Facebook愛情測驗題目啊？」仰光嘀咕著說：「我每次玩這些題目，結果都說我不懂浪漫，我可以不玩嗎？」

「你不如乾脆說沒證明就好啦？」金希臉上帶著不滿。

仰光看著金希，突然體諒到心裡不安的她。他輕聲說：「嗯，其實，我有那個證明。」

「是甚麼？」

他揚起左手，看著縫合了的尾指一眼，「那時候，當我正要割第二隻手指的時候——」

金希臉色一沉，「不要提這個——」

他微笑著說下去，在這一刻，他可以有話直說：「我在想，無論如何也要保留無名指。」

「為甚麼？」她問。

「笨蛋！妳才是個最不浪漫的人！」他幾乎要扼死她，「我也沒有要妳出示愛的證明啊！」

金希臉上一紅，強撐著說：「是你追求我在先，我接受你的愛意便是，我為何要給你愛的證明？」

「我追求妳？」他呆住，「我一直以為是妳追求我啊，我在不厭其煩之下，勉為其難地接受了啊！」

兩人笑著吵鬧之間，一名外籍男侍應走到金希面前，問她還要不要餐盤上的食物，她聽不懂，也答不上，男侍應便替她收起了。她不知如何拿回餐盤上只喝了半杯的咖啡，仰光見狀便叫住男侍應，跟他對答兩句，男侍應滿臉歉意地給金希放下杯子，她只得尷尬地笑笑。

金希看仰光操著流利英語，她卻連一句話也應付不來，她嘆口氣說：「去

到澳洲那邊，我甚麼也不懂，很擔心呢！」

「我會照顧妳啊！」

「萬一我倆失散了呢？」她不安地說：「難道我要跟當地人說廣東話或普通話嗎？他們一定覺得我是笨蛋，對我避之則吉吧？」

「總有辦法應付。」仰光一直微笑，想平服她的情緒，「相信我就好。」

金希只得聳聳肩苦笑，仰光眼看快到登機時間，站起身說要去洗手間。她說：「你不會不回來吧？」

「神經病！我不回來，還可以去哪裡？」

「快回來！」她雙眼隱隱有種古怪的擔憂。

「我馬上回來。」

仰光偷偷跑去書店，替金希買了一本牛津出版、厚厚的《小學生圖解英語詞典》，那是一本圖文並茂的簡單英語會話書。由香港去澳洲有八小時機程，

他尚有很多時間教她簡單的會話，譬如：「你好嗎？我叫金希」、「很高興認識你」、「我是香港人，我來讀書，請多多照顧指教」、「我忘了把雨傘放在哪裡」、「這是個陌生的地方」。即使他保證會永遠在她身邊，他仍不希望讓她感到孤獨無助。接著，他才放心走到淨白得竟有點像靈堂的洗手間。

當他站在大鏡前，整理一下那頭染回黑色的頭髮之際，見到一名外國人抹手後忘記拿走放在洗手盆旁邊的手機。他及時喊住他，提醒他取回手機，外國人萬分感激地離開。仰光朝大鏡前的自己微笑起來，他喜歡這個懷著熱心的自己，也希望到了外國後，可以撥亂反正。他可以當義工，幫助很多不認識的人，但願能夠抵消他從前傷害過的陌生人。

這時候，一個看來只有七八歲、揹著湯瑪士小火車背囊的小男孩，從廁格步出來，他的樣子有點傻頭傻腦，卻有一種尚未成熟的可愛。當小童走過仰光身後，仰光突然感到背心一陣涼颼颼。只見身高還未到他胸前的小童，看著大

鏡裡的他，一臉童真地說：「仰光哥哥，這是水壩叔叔給你的送行禮物。」語畢，小童向他掀出一個讓人感到溫煦的笑臉，恍如歡喜地出發遠足旅行，不慌不忙地離開。

仰光雙掌按著洗手盆，才可勉力不讓自己倒下。他看不到自己的傷口，所以無法知道自己傷得有多重。可是，他有一種很恐怖的感覺，覺得生命正慢慢減退。他彷彿是一個打點滴的袋子，內裡的藥液有減無增，由十七歲慢慢退回十六歲、十五歲、十四歲……

他滿以為，他做的最後一件事，就是衝出去見金希最後一面。但他沒有，他恍如一頭自知死期而刻意藏匿的貓，手執著那本會話書，拖著一條長長的血路，掙扎著步進一個廁格，把門上了鎖——並且，一再確認門已鎖上。

接著，他把廁板放下來，用一個最舒服的坐姿坐下，等待著自己靜靜死去。

仰光突然想起，原來，那個夢真是一種預兆。而他也真的相信，霍品超會在他的葬禮上為他致悼辭，那使他感到莫大安慰。假若還要挑剔那個夢尚有甚麼不合理之處，大概就是金希居然不肯出席。但他也無法再次潛入夢中，請求現實中的她別要出席。

然後，他努力揭開會話書，其中一頁寫著：「他對太陽系了解很少（He knows very little about the solar system）」，眼前所有文字突然扭曲。他把書緊緊抱在懷中，在他合上眼的前一刻，他想起金希的一切一切，就像他從出生第一天已認識她那樣。

最後，他懷著兩個人的共同夢想，單獨地死去。

（全書完）

到了最後，
我還有甚麼話要留給妳呢？
若我要求妳別出席我的葬禮，
妳肯聽從我嗎？
那是因為，
只是因為啊，
人總有死去的一天，
只有永遠拒絕接受我死去的事實，
妳才會跟我一生一世的
活著……

【後記】

不是為了惡人終有惡報那種正義說教，也不為譁眾取寵，只是合乎情理的結局

寫完這本書，我第一時間便病倒了，傷風感冒咳嗽甚麼都齊，卧在床上兩三天也軟手軟腳。但我已經習慣了，這是我每次寫完一本「自覺非常重視」的小說後的必然定律。

只因我在寫作期間，會將自己的精神一直保持在最亢奮的作戰狀態，而隨著愈來愈近結尾，還會進一步提升，直到一個心裡火熱的程度，那大概是別人口中的「心裡有一團火」。可是，這真是名副其實的期間限定，當書一寫完，那團火就熄滅了，身體也虛弱下來，給風一吹便會感冒。整個人會委靡得像失

去水分而凋謝的殘花，非常可怖。

由於萬試萬靈，使我更加知道我對手頭上那本小說的重視程度。又或者說，我記得自己曾在哪裡講過：「寫作是一種最快樂的自殘。」而經驗告訴我，愈是寫得掏心挖肺，作品才愈是深刻。要是過分輕鬆，寫出來的東西也會輕描淡寫，變成蜻蜓點水，完全刺不進肉。

所以，寫作真是一種自殘，愈是自殘得深便愈是快樂，我想自己真是一個被虐狂吧。

大家也許會發現，到了本集最後幾章，金希的性情出現了明顯變化，少了昔日的強悍，多了一份軟弱和不安定。優先看了稿件的C.C.懷疑我是否思覺失調，已經寫到弄不清主角的性格？

我說不是，只因我真的相信，縱使一個最堅強的人，當完全依附著另一個

人，就會卸下全身的重甲。而當慣大家姐的金希一旦鬆懈下來，原來跟普通女孩也分別不大，只是大家可能有點看不慣罷了。

我倒是最喜歡兩人終於可以像一對小情侶般相處那幾段，尤其是仰光要趕赴Angel的生日會，金希突然瞪著他問：「怎樣？你喜歡了Angel嗎？」仰光說：「金希姐，妳不要搞笑了，Angel有男朋友啦……」「你連她有男友也知道啊？」

偷偷告訴大家，那正是C.C.和我之間的真實對話啊！

對啊，在寫本書期間，碰到一位很久沒見的朋友，我報上我和C.C.的婚訊，她很有興趣地問：「為何突然想結婚？」

我也突然呆了。是啊，我居然從沒想過這問題。但我很自然地回答：「是那個女人令我想結婚。」

「不是自己想結婚嗎？」

「我結不結婚也沒關係啊。」對啊，我的想法是，兩個喜歡的人在一起就好了。

「所以，是那個女人令你想結婚？」朋友也熟知我性格，她看著我問：「我真想知道，她為何有那種讓你想娶她的能力？」

「我也不知道，但她真有那種能力。」對啊，我無法抗拒她，我對自己無能為力。

跟朋友道別後，我回想自己那句脫口而出的話：「是那個女人令我想結婚。」慢慢地，我所有疑惑都消失了，我感到快樂起來。我真心相信，我真是在絲毫沒有被迫的情況下，真心誠意地想成為一個女人的丈夫。

我並且相信，如果你深深愛著一個人，你會覺得彼此相處的時間總是不夠。

既然我決定跟C.C.一同走向將來的路，那就事不宜遲，當然要給她一個名正言順的身分，好讓她驕傲，也讓我做個神氣的男人嘛！

本來，我原本構思的結局，是在往澳洲的航機上，仰光突然拿出一本書，想教金希英語會話，而金希竟也拿出一模一樣的書來要求他教她，兩人都為對方不約而同的默契而微笑，美滿收場……可是，那只是未落實的故事大綱而已。隨著我真正把故事寫出來，我開始不相信仰光會那麼輕易過關。因此，到了最後，他冷不防地死掉了。

當打下「全書完」三個字，我覺得很悲傷。但與此同時，我卻比較滿意這個結局——不是為了惡人終有惡報那種正義說教，也不為譁眾取寵——只是一個合乎情理的結局。

一套四本的「THEY 3.0」得以順利完成，我要衷心多謝C.C.。由故事大綱，以至每個細節，都是我倆一同想出來的。過程不免是艱辛的啦，但如今回頭一看，卻異常滿足。擁有一套自我滿意度達85%以上的作品（給我重寫，某些部分或可處理得更好），算是相當不俗了。

雖然，我也非常喜歡「THEY 3.0」，但直至這一刻，我仍未決定會否續寫season 2。我只希望，若有一天大家見到本故事的延續篇，也會延續你們的支持啦！

希望你們也享受「THEY 3.0」，我借故事人物說了很多殘酷的真話，希望不會惹大家太反感吧！

最後，感謝大家沒有對那群可愛又可惡的主角們始亂終棄，陪他們走過由開始到結束的路，謝謝！

They said

峯哥：

我覺得「THEY 3.0」比「Oh！」和「WE」更能帶出我的感受。

你知道嗎……每次看完「THEY」系列的書，有一種悲哀感會慢慢充斥我全身，久久不能平服。

看完你的書後，總覺得有人把我心深處的想法毫不留情地挖出來……不過……我很喜歡這種悲哀的感覺。（很變態吧？）

sonson

阿峯：

昨日終於買了一本我等到傻了的《來吧！惡童的最終救贖》，但是今日才看完～

我看完真是有點氣憤……為甚麼仰光不說出真相呢……但是怎樣也好啦 0.0 我真的很想要一個好好的結果。

不過不要再等這麼久 -3- 看「THEY 3.0」看到上癮！

支持你 0.0 加油!!

小申

峯：

「THEY 3.0」這一系列的書，是我暫時最喜愛的系列（因為你還會繼續創作喔，會有更好的）。我閱讀你的書已有數年，但在「THEY 3.0」之前，我只是在圖書館借閱（很窮沒有錢 =.=）。但在機緣巧合下，讓我有機會買下「THEY 3.0」。自此，我對這系列的書愛不釋手。原因有數個，一是封面吸引，二是背景與小弟有共鳴感（但我並沒有非禮女生呀），三是入面的想法很有啟發性。很多時你會用逆思維去想這個世界，我看了，對世界有新一種感受。我甚至可以從文字中感受到你的悲傷、你對世界的控訴，甚至你的想法。或許是我本身也有這種想法，但我不敢面對真實的那個自己，現在被你發掘出來了，感謝你。要加油，繼續支持你！

小臣

阿峯短訊：我相信，每個人也有一個不敢面對的自我，而「THEY 3.0」想說的，也正是這麼一回事而已（我也沒有非禮女生呀=.=）！

峯：

我等了這一本書很久了，這本書有很大的魔力，就是你第一次以band 3學校作為題材。當我看完最新出版的「THEY」後，真的很想追看下去。霍品超犧牲自己後，下一個死的，最大機會就是仰光。仰光真的可憐，為了保護自己的心上人，寧願被金希一直誤會下去，也不供出日昇所做之事。我真的希望金希最後會明白仰光對她的愛。「THEY」是一套很特別的小說，講出大部分人的黑暗想法（本人認為）。完成了最後一集後，記緊要出「Oh！」的第九集啊（等了很久）。（編按：《Oh 9》已經出版了！）

傑傑

FUNG：

我一直都覺得去安慰人，用的總是「一定不要這樣想」等等字眼，卻從不肯面對現實。

我覺得「THEY」只是道出了人的心中最深最深的想法，只可惜沒甚麼人肯去承認。

Carol

阿峯：

金日昇實在太壞了，可能是全系列最大的壞蛋（不計未出場的水壩），雖然滿腔偉論，但實則只為滿足自己的慾望。金日昇和霍品超應該是個對比吧，兩人都是用做壞事去改善世界，前者用破壞方式令世界重生，後者用犯罪去引導一些人建立人際關係。

下集希望有多一點霍品超與蔡淑真的故事，對他們怎樣相識很有興趣，亦希望金莎會出場，說說小時候的霍品超。

不過，為甚麼霍品超要金莎做援交？蔡淑真在金莎離家出走時又是否真心對她？還是只為迎合霍品超？

其實有一個問題想了很久也不明白，霍品超在「THEY 3.0」也算是「好人」吧！但他在《WE 7》為甚麼要把金莎的噴劑棄掉？他不怕金莎真的會死嗎？還是他知道陸本木在場呢？

Littlebrown

They said

阿峯短訊：若「THEY 3.0」真會寫season 2，霍品超與蔡淑真的故事應該是其中一個主打吧？大家似乎也對他倆充滿興趣呢！

梁望峯先生：

很久沒看過梁望峯先生以悲劇收場的故事了，「WE」系列大部分都是大團圓結局，我猜「Oh！」的結局也會是有情人終成眷屬，不如「THEY」的結局用梁先生以往著名的悲劇式結局（例如仰光和金希最後與水壩同歸於盡，旺財知道湫湫曾多次墮胎而離棄她……）。而且這系列一開始就有悲劇的意味，雖然很多人不喜歡悲劇結局，但悲劇往往更使人印象深刻。

我則覺得可以在最後加回正面思想~現在說了很多不好的東西，但又沒說怎

樣去面對和解決之類~不過整體來說，真是不錯不錯~值得一看~

pikac hu

峯：

昨天晚上看完「THEY 3.0」第三集了，不知怎的，我看到霍品超被殺就哭了出來。這角色其實蠻吸引我，也從來不知道他有這樣的身世。至於仰光，沒想到他是用這種方式去愛金希，默默地守護她，不求回報，我覺得這才是最偉大的愛。旺財對珠珠真正的感覺是怎樣呢？熙與Janice又會怎樣呢？然後，金希與仰光的結局又會怎樣？當然，我不希望有下一個人被劫匪殺掉，最好就是忽然沒了子彈！XD 另外，我也很喜歡諸葛囧，也請讓他繼續亮相！=] 期特

They said

「THEY」第四集，「Demon」第四集我也會追看的 ;}

dEmon.T

阿峯短訊：看完完結篇，見到霍品超大難不死，你有沒有笑了 >>

To 峯：

看完「THEY 3.0」的第三集，真的很緊張！之前看《WE 7》覺得霍品超是一個很壞很壞很壞的人，居然扔掉金莎的藥！但「THEY 3.0」入面的霍品超，卻給我一個截然不同的感覺。特別是揹蔡淑真那時候，猜不到他會這麼細心、

疼愛小蔡，令我很羡慕呢！>> 還有他在仰光耳邊說的那段話，令我有點兒感動到哭呢！可惜霍品超最後沒得到好好的結局！（看完有點兒想追殺你！）

而我亦很喜歡金希和仰光！明明互相喜歡對方，卻不斷有事令他們不能在一起。（我警告你：一定要讓金希和仰光在一起，不然……哈哈！）

好像寫長了，還有最後一個問題（快問吧，阻時間！）。嘻嘻，對不起！金莎和金希有關係嗎？還是只剛巧都姓金呢？

Mrs. 寧

阿峯短訊：看完結局，金希和仰光真的不能在一起，妳大概真會追殺我啦！金莎和金希應該無關係吧？

They said

阿峯：

等了這本「THEY 3.0」第三集已不知多久，剛巧「大眾」盤點，害我去到很遠才買到……

看完第三集，真想不到日昇是這樣的人！回想第一、二集，日昇是個一等一的良好學生（表面上），我還覺得現實中有個這樣好的男生，一定很受歡迎，但誰也猜不到他內心會有如此黑暗的一面！

仰光為了金希，願意放棄一切，而且在她身邊默默付出，真是很偉大！但是為甚麼他不解釋呢！如果他說清楚，他們便可以在一起啦……

霍品超這個角色，絕望就是他的絕症，我覺得他的身世真是太可憐啦……

旺財和珠珠、Janice和熙這兩對真的很好，他們應該可以在一起吧？

我真的很喜歡「THEY 3.0」這個系列。不知為甚麼，忽然覺得你好像社會

評論人，用故事反映現今社會的現實……

這麼快，下集就是完結篇啦，真的很不捨得，很想故事可以繼續下去呀……

Sze Wing

峯：

金莎和金希會不會是堂姊妹呢？

如果可以的話，希望金莎在下集出現，用她歹毒的口吻唱衰霍品超，令金希和仰光復合！

jvjkv

They said

阿峯短訊：金莎和金希是堂姊妹？我暈 =.=

峯：

你好！我一向都默默地（？）追看「THEY」系列啊。看過《THEY 3》後，能說的話就只有「好遺憾啊！」……真的真的令人感到很遺憾的一冊。雖然並不是不喜歡，但這種落寞的感覺很難受呢～

最令我難受的應該就是最後，霍品超死的一幕吧。其實在第一、二集的劇情中，我還在懷疑霍品超的行動有沒有另類陰謀（？）。因為我覺得他比我想像中更加會攻心計。看到《THEY 3》，我終於深深感受到，他對仰光的情誼並不虛假，亦有為此而感動流淚……

另外，我蠻喜歡傲飛一角，感覺上他很可愛呢（對男生運用「可愛」一詞好像不太好呢，但我真的這樣想）。雖然他也是一位不太起眼的配角，只因為他的出現，揭破日昇的原貌，另一方面更說明日昇對「情」的重視。你談到想刪掉的那兩句（P.130最後兩行）我可是很喜歡啊！那種真摯的情感，令我心動~（心）

這套書令我明白到，不論是好人還是壞人，都必定有善與惡兩面，只是哪邊的分量比較重而已。可能很多人像日昇般深不可測，但每個人都會在「情」上流露善意吧？

……想說的話實在太多了，有機會再來留言發表感受（笑）。請加油，繼續寫精彩的結局，另外也請保重身體。

P.S.《THEY 3》的感覺太沉重了，期望故事能更愉快地完結啦~

小祭

峯：

「THEY」是我第二次買你的書，看過《THEY 3》之後，我覺得仰光很可憐，為了金希寧願自己被誤會，也不供出日昇所做的事。

其實我意想不到日昇竟然是個壞人，最後還自殺了（哭）。

P.S.《THEY 4》和《Demon 4》快點出啦！

Momo

Dear 梁望峯

你寫的「THEY」系列很好看，我也把三集「THEY」買回家了（這可是我第一次買你的書 XD）

未看「THEY」2+3之前，已經上你的blog看了其他讀者的評語，初時還以為日昇做了甚麼過分的事離間金希和仰光。可是看完之後，卻覺得誰也沒錯，只是現實太殘酷而已。不過我覺得旺財這次做錯了，竟然把日昇的事說出去，而且也不懂用腦就覺得一定是仰光害死日昇，真的很魯莽！

我並不特別討厭書中某一個角色，只是有時對他們的行為感到無奈。我特別喜歡霍品超、金日昇和諸葛罔（諸葛罔的名字是由諸葛亮那裡來的嗎 a_a？）霍品超和金日昇的想法很相似，我也有過那樣的想法。無奈的是，我也是在浪費地球資源的人類之一，所以我沒資格說出消滅人類這類

說話。我更加有想過去自殺（呵 ;-;）可惜我沒有捨棄一切的勇氣；諸葛囧最初出場的時候，我還以為他是個很難相處的人，直到後來他成了仰光的知心好友後，我開始有點喜歡他，可能是因為他是到目前為止最單純沒機心的一位吧。

看到日昇和仰光說如何維持一個幸福家庭的時候，我心生共鳴（記得你在「Oh！」系列曾說過「人有時不得不說謊」，可能是你這句影響了我吧，現在有時明知別人在說謊也不像以往那麼生氣 XD）。我認為無限的信任是最重要的，就像仰光曾對金希說要相信他，他所做的一切也是為了金希，要是金希記得並且相信他的話，很多事情便沒有發生的必要吧？不過，全心相信一個人是很困難的事，珠珠和旺財就是這樣吧。

故事中主角們很多親情、友情的關係都沒有細說，只是略略帶過，為此我

感到有點可惜。另外，在《THEY 3》入面有不少地方是從《THEY 2》中cut出來的，這樣做好像有點對不起讀者吧。還有不要處處伏筆！

突然發現仰光和金希兩個名字好像都與希望有關（？）因為是一口氣把三集看完，再一口氣寫了這個感想，所以好像長了點……知道下一集就是大結局，有點失望呢 a_a

加油吧！期待你的《THEY 4》~

cupid

峯峯：

嘩！救命啊！你的書實在太好看啦！我看完你的書便日日也想著它們！怎

辦啊？我已買齊所有「THEY 3.0」和「WE」，除了《WE 4》外……因為結局很sad……我不喜歡sad ending……我很希望「THEY 3.0」會有個happy ending！我求求你讓仰光跟金希一起啦！我很期望你的《WE 9》和「THEY 3.0」大結局快點出版！繼續加油！>_>

Light

FUNG：

不論有多麼黑暗，

「THEY」還是我的至愛。

因為是「THEY」把我拉進你的世界。

給你掛賬的人

阿峯短訊：謝謝你，你說得很浪漫，我喜歡~

梁望峯先生：

可能有人覺得這小說的情節太誇張吧？但如作者在「後記」所說，現實中的情況，一定比小說有過之而無不及。

書中大部分角色本來都可以度過無憂無慮的青春少年時期，最可怖的是身邊竟沒有一個親人為他們做任何關顧他們的事。現實是殘酷，有時可能只要你

扶他一把，便減少一個悲劇的發生。可是，又有多少人肯開這順風車，載這些困境中的人過去？

所以，這類反映壞現象的小說，對社會有正面作用。反過來說，是不是我們隻字不提，問題便真的會化解？而且，香港基本上從沒有小說作者用這作主題（可能我未看過，我很少看小說）。所以，請梁望峯加油，繼續支持你。第一季即將完結，希望有第二季吧。

現在香港少年的生活都比較分化，一部分人有健全的家庭環境，接受良好教育，整個成長都是正面的，被人愛護，被人關注；但有另一部分人，他們卻被人遺棄，沒有一個健康的家庭環境，沒有良好的家教，生活在黑暗中，很多人都不願意接觸他們，也不重視他們。

「THEY 3.0」某些內容可能有些違反人性，讓人難以接受，不過值得大家去了解一下，也間接接觸一下生活在黑暗裡的少年，去認識他們多一點點。

honeycatbb

皇冠

香港皇冠叢書第一一三一種

THEY 3.0 ④ 別了，最後的快樂幻夢

作　　者—梁望峯
發 行 人—平　雲
總 經 理—麥成輝
出版發行—皇冠出版社（香港）有限公司
香港灣仔駱克道九十三至一〇七號利臨大廈一樓
電話⊙二五二九　一七七八
傳真⊙二五二七　〇九〇四
責任編輯—孔德華
封面設計—葉澤深
封面繪圖—龐　坤
印 刷 所—美雅印刷製本有限公司
九龍觀塘榮業街六號海濱工業大廈四樓A室
香港初版一刷—二〇〇九年十二月

國際書碼⊙ISBN: 978-988-216-169-6